JETZT KOMM' ICH!
NEUE MÄRCHEN
VON PRINZESSINNEN UND ELFEN

Michael Sprotte

Bibliografische Information der Deutschen Nationalbibliothek:
Die Deutsche Nationalbibliothek verzeichnet diese Publikation in der Deutschen
Nationalbibliografie; detaillierte bibliografische Daten sind im Internet über
http://dnb.dnb.de abrufbar.

© 2021 Michael Sprotte

Herstellung und Verlag: BoD – Books on Demand, Norderstedt

ISBN: 978-3-7543-4246-6

DORNRÖSSCHEN

Es war einmal ein schöner Prinz, Rondo geheißen, der schlief in einem verwunschenen Schloss.

Und das kam so: Zu seinem vierzehnten Geburtstag hatte seine Mutter, die Frau Königin, einen Ball gegeben und dazu dreizehn andere Prinzen und vierzehn Prinzessinnen eingeladen. Wie sie nun alle zum barocken Rondo getanzt hatten, sprang auf einmal ein weiterer Prinz durch das Fenster des Ballsaals; es war Sirupmann, der nicht eingeladen worden war, da er einstmal Rondos goldene magische Kugel gestohlen hatte.

Alle Prinzessinnen stoben auseinander und drängelten zu den Ballsaaltüren, doch dort riefen ihre Gouvernanten die jungen Damen zur Ordnung. Und schauen, was nun passieren würde, da nun der Eindringling mitten unter ihnen war, das wollten sie alle.

Prinz Sirupmann ging forschen Stechschrittes auf Prinz Rondo, dem Geburtstagskind, zu, aber nicht um zu gratulieren, sondern er sprach: „O du eingebildeter Rondotänzer! Da es dir beliebt hat, alle Prinzen und Prinzessinnen von Rang und Namen zu deinem ... Gehopse einzuladen, nur mich nicht – mich, den Prinzen Sirupmann, den Schwarm aller Jungfrauen, dass sie in die Knie gehen, wenn sie mich sehen, und seufzen: ‚süüüß'! - So sollst du denn für diese Dreistigkeit büßen, mein Freund, und am Ende dieses Tages tot umfallen!"

Noch bevor die jungen Damen und Herren sich von ihrem Schreck erholt hatten, noch bevor der Hofmarschall den Eindringling ergreifen konnte, war der auch schon – wupps – aus demselben Fenster hinausgesprungen, durch das er einen Augenblick zuvor hereingesprungen war. Nun standen sie alle erschrocken und ratlos da: der Hofmarschall, Prinzen und Prinzessinnen, ja der Prinz Rondo selbst. Und auch seine Mutter, die Frau Königin, konnte nur flüstern: „Ergreift ihn." Doch niemand vermochte sich zu rühren.

Bis eine der jüngeren Prinzessinnen hervortrat, Ronda, die kleine Schwester Rondos, in die Mitte des Ballsaals schritt, sich ein Herz fasste und sprach: „Gar Schreckliches haben wir alle soeben gegen meinen Bruder fluchen gehört. Nun kann ich Sirupmanns Fluch zwar nicht aufheben, doch abmildern will ich ihn: Am Ende dieses Tages wird Prinz Rondo in einen zwanzig Jahre währenden Schlaf fallen. Er wird davon nicht von alleine aufwachen, nein: Eine Prinzessin muss ihn wachküssen. Eine derer, die heute eingeladen sind und mit meinem lieben Bruder feiern."

Da sahen sich alle Prinzessinnen erschrocken an: Wer würde die Glückliche sein? Welche würde aber auch zwanzig Jahre warten auf Prinz Rondo? Die Königin klatschte daraufhin in die Hände und rief: „Alles Walzer!" Die Musik spielte auf und jeder Jungmann tat sich mit einer Jungfrau zusammen.

Bald jedoch ging das Fest dem Ende zu, niemand mochte miterleben, wie Prinz Rondo für zwanzig Jahre einschlief. So wurde es denn zeitig still im Schloss, und die Nacht brach herein, Fledermäuse zappelten um den Schlossturm, Käuzchen riefen aus dem nahen Forst. Rondo aber hatte gar nicht vor, schlafen zu gehen. Er wollte die Nacht über auf- und wachbleiben, um den Fluch des missgünstigen Prinzen Sirupman zu umgehen. Deshalb zog er sich mit anderen Jungmännern am Kamin zurück, einige Flaschen Portugieser bei der Hand. Immer wenn er gähnte, stand er auf, rannte die Wendeltreppe zu seinem Turmzimmer mit seinem eigenen Himmelbett hinauf und blieb vor der Türe stehen, um derselben eine lange Nase zu drehen. „Du kriegst mich nicht", lachte er die Tür an, kehrte um und flog alle Stufen hinab zum Kamin, wo die anderen Zecher auf ihn warteten.

Bei dem letzten Treppenlauf, weit nach Mitternacht, ging etwas schief: Da kamen nämlich zwei seiner Gäste ihm nach. Und als er der Kammertür seinen Gruß entboten hatte, „Du kriegst mich nicht", da hielten sie ihn auf und wollten wissen, was er dort oben treibe. Ob er ihnen nicht lieber erzählen wollte, was er neulich mit Prinzessin Erbse und Prinzessin Möhre angestellt habe. Da ihm so der Rückweg zum Kamin verstellt war, verließ ihn auf der Stelle seine Kraft, so dass die beiden Gäste ihm unter die Arme greifen mussten und suchten, wo sie ihn nun, den Schlafenden, ablegen sollten. Die Tür, das war es! Sie legten ihn in das Himmelbett, zogen ihm Rock und Schuhe aus, deckten ihn zu und schlichen sich davon.

Das Kaminfeuer war ausgegangen und auch die beiden Helfer fühlten nun eine Müdigkeit, die sie überfiel, sodass sie sich vor die Glut legten und ebenfalls einschliefen. Was sie nicht mehr bemerkten, war, dass jedes Lebewesen in dem Schloss eingeschlafen war: auch Prinzessin Ronda, die Frau Königin, der Herr König sowie der Hofmarschall, die Köche und alles Gesinde, wo sie gerade gewesen waren.

Nie wieder hatte man im Lande von ihnen gehört, bald waren sie alle vergessen. Nur einige wenige unter den zur Geburtstagsfeier des Prinzen Rondo geladenen Jungfrauen erinnerten sich seiner Schönheit. In ihnen wuchs der Wunsch, ihn dermaleinst, in zwanzig Jahren, aufzusuchen, ihn wachzuküssen und von ihm zum Altar getragen zu werden.

***

Die erste war die Prinzessin Erbse. Sie war von der Geburtstagsfeier nie heimgekehrt. Sie musste also im Schloss geblieben – und, ebenso wie alle anderen, irgendwo eingeschlafen sein.

Die zweite war die Prinzessin Möhre. Sie war zeitig losgezogen in Begleitung ihrer Gouvernante, wurde ein letztes Mal von einem Schäfer gesehen, und beide waren seitdem verschwunden.

***

Damals war auch Prinzessin Dornrösschen auf der Geburtstagsfeier gewesen. Im Laufe der zwanzig Jahre war sie gewachsen, groß geworden und hatte als Schildmaid schon ihre ersten Turniere geritten. Inzwischen ritt Dornrösschen immer mit ihrem stolzen Streitross, einem Rappen, umher und trug dazu eine Rüstung aus Metall, ein langes scharfes Schwert und einen Schild aus Leder. Dornrösschen beschloss: „Den hübschen Prinzen Rondo will ich wecken und küssen."

Doch wie erschrak sie, als sie an dem Schloss des Prinzen ankam: Eine meterhohe Hecke aus Rosen und Efeu war im Laufe der zwanzig Jahre rings um das Schloss gewachsen. Wie sollte sie zu dem Traumprinzen hindurch dringen?

Zuerst versuchte sie, über die Hecke zu klettern, da blieb sie in den Dornen hängen. Dann versuchte sie, mit ihrem Schwert die Hecke zu zerschneiden, doch das blieb in den Dornen stecken.

So ging sie auf und ab, um eine Stelle zu suchen, wo ein Durchkommen möglich wäre. Nahebei, in der Werkstatt des Gärtners, fand sie eine große schwere Heckenschere. Damit schnitt sie ein Loch in die dichte, pieksende Hecke, gerade groß genug, um hindurch zu kriechen. Schon stand sie im Schlosshof, ging an dem Brunnen vorüber und suchte einen Eingang zum Turm. Doch auch hier wucherten Rosen und Efeu, da musste sie wieder alles mit der Heckenschere kurz und klein schneiden.

Erst jetzt wunderte sie sich, denn bisher hatte sie noch keinen König, keine Königin oder auch nur einen Ritter angetroffen.

Im obersten Turmstübchen schlief der Prinz in seinem Himmelbett, Dornrösschen konnte ihn schnarchen hören. Sie fand Gefallen an dem Prinzen, beugte sich zu ihm auf das Kissen und küsste ihn wach.

Als er erwachte, erschrak er, denn sie trug noch immer ihren Helm und er dachte, sie wäre ein feindlicher Ritter. Da nahm Dornrösschen ihren Helm ab, er sah ihre Locken und verliebte sich auf der Stelle in sie. Der Prinz stand auf und strahlte: „Wie bist du schön! Aber mal ehrlich, du willst ein Ritter sein? Kochst du mir zum Frühstück einen Kaffee?"

Dornrösschen dachte, sie höre nicht recht und änderte ihre Meinung über den Prinzen. „Meinst du, deswegen hätte ich dich aufgeweckt, damit ich dir Kaffee koche?! Schlafe nur weiter!"

Da entdeckte sie die Prinzessin Erbse. Sie hatte auf einem Stapel Matratzen in einem Alkoven gelegen und wachte ebenfalls gerade auf. Wie war das möglich? Wie war sie in die Turmkammer gekommen? Warum hatte sie nicht den Prinzen geküsst?

Da entdeckte der Prinz Rondo die Prinzessin Erbse auf der Matratze. „Oh geil, zwei Schnecken", freute er sich.

„Freu' dich nicht zu früh!", erwiderte Dornrösschen. Mit diesen Worten verließ sie den Prinzen Rondo und die Prinzessin Erbse. Sie ließ den Schlosshof hinter sich und kroch wieder durch die Rosen- und Efeuhecke, die das Schloss umwucherte. So bemerkte sie nicht, dass inzwischen die königliche Familie ebenfalls erwacht war. Und so erfuhr sie auch nicht, dass bald darauf die königlichen Eltern die Vermählung ihres Prinzen Rondo mit der Prinzessin Erbse bekannt gaben.

Stattdessen begab sie sich auf die Suche nach dem Prinzen Sirupmann. Dem wollte sie heimzahlen, dass er zwanzig Jahre zuvor den Prinzen Rondo verflucht hatte. Flink wie der Wind trug sie ihr Streitross zu dem Magier.

Bei dem Magier wartete eine weitere Überraschung auf Dornrösschen. Sie traf bei ihm nämlich die Prinzessin Möhre an.

Sirupmann hatte sie damals unterwegs mitsamt ihrer Gouvernante gefangen und auf seine Burg verbracht.

Sie beschloss, sie zu befreien. Das war gar nicht einfach, denn Sirupmann hatte beide, die Prinzessin und ihre Gouvernante, vor die goldene magische Kugel gesetzt, die er dem Prinzen Rondo gestohlen hatte. Davor hockten sie Tag um Tag und starrten auf die Kugel, die ihnen allerlei bunte funkelnde Bilder zeigte von Feen, Einhörnern und jungen kräftigen Prinzen. Und wenn sie mal nicht in die magische Kugel starren sollten, dann wollte Sirupmann eine der Frauen für sich haben: die Prinzessin als Gespielin für die Nacht, und die Gouvernante sollte ihm Eierlikörtorte backen, die er um alles in der Welt liebte.

Nun begab es sich einmal, dass Sirupmann die Gouvernante in die Stadt geschickt hatte, Eier und Mehl auf dem Markt zu kaufen. So konnte Dornrösschen ungestört mit der Prinzessin Möhre sprechen und fragte sie, ob sie sich nicht einmal in der Welt umsehen wollte, Länder sehen, in denen weder ihr Vater noch Sirupmann Fürst sei. Ob sie von Köstlichkeiten aus fernen Ländern kosten wollte, wie Kokosnüsse oder Pampelmusen? - All das, so entgegnete die Prinzessin, zeige ihr ja die magische Kugel, und die Gouvernante brächte bestimmt die eine oder andere Spezerei vom Markt mit. Dornrösschen fragte sie, ob sie nicht einmal andere Menschen kennenlernen wollte, die ihr neue Geschichten erzählen könnten; vielleicht sei auch ein Edelmann darunter, der sie nicht nur zur Gespielin haben wollte? - All das, so erwiderte die Prinzessin, böte ihr der Sirupmann, außerdem sei er ja so süß zu ihr!

Da begriff Dornrösschen, dass es für sie keinen Zweck habe, weiter in Prinzessin Möhres Willen und Gedanken einzudringen.

Der Magier hatte also die junge Frau in seinen Bannkreis geschlagen. Umso mehr hütete Dornrösschen sich, ihm allzu oft unter die Augen zu treten. Eines Nachts, da sich Sirupmann mit Prinzessin

Möhre im Weinkeller vergnügte und die Gouvernante wieder einmal damit beschäftigt war, eine leckere Eierlikörtorte zu zaubern, da ging Dornrösschen schnurstracks in den Palas, wo immer noch die magische goldene Kugel flimmerte, und steckte sie sich in eine Tasche zwischen Kettenhemd und Wams. Wenn das Zauberding fehlt, so überlegte sie, dann können die Gefangenen nicht stumm und steif davor verharren.

Mit ihrem Raub ging sie nun zum Marstall, um nach ihrem Ross zu sehen. Da hörte sie ein Poltern aus dem Palas, harte schwere Schritte über den Hof hasten, schon stand Prinz Sirupmann in der Stalltür und breitete seine Arme zu einem Zauberspruch aus: „Steh', steh' auf der Stell', da ich die Kugel haben will!" Dadurch ward Dornrösschen starr und konnte sich nicht rühren. Ihr Streitross dagegen hatte sich von dem Zauberspruch so erschrocken, dass es mit den Vorderläufen in die Luft stieg und beim Herabkommen Sirupmann den Magier mit den Hufen erschlug. Tot fiel er um.

Dadurch war der Zauber gebrochen, der auf Dornrösschen lag. Sie beruhigte ihr Pferd, indem es seinen Hals streichelte und ihm gut zuredete. Dann lud sie ihm ihr Gepäck auf, die Schabracken-Decke, den Sattel und dazu eine einzige Satteltasche.

Bevor sie davonritt, überlegte sie aber noch, was sie mit dem Leichnam des Magiers anstellen sollte. Da betrat auf einmal die Prinzessin Möhre den Stall, sah, was geschehen, und fiel vor dem Toten auf die Knie, um ihn zu beweinen. Dornrösschen bot ihr an, den Magier begraben zu helfen. Allein, die Trauernde wollte davon nichts wissen. Sie war überhaupt nicht ansprechbar. Während Dornrösschen ihrem Ross die Zügel richtete, sah Möhre auf und stieß unter Tränen hervor: „Ihr habt ihn umgebracht! Das sollt Ihr mir büßen!" Damit wandte sie sich wieder dem toten Manne zu.

„Ihr, Prinzessin Möhre", entgegnete Dornrösschen ruhig, „Ihr seid jetzt frei von dem Mann, der Euch zu seinen eigenen Gelüsten hielt wie – wie einen Hund. Steigt vielmehr auf, ich will Euch heim bringen!" Doch die traurige Prinzessin wollte nicht und beugte sich wieder in Tränen über den toten Sirupmann.

Da beschloss Dornrösschen, dass sie nichts mehr ausrichten konnte, führte ihr Ross aus dem Stall in den Hof und stieg selbst auf. Da kam die Gouvernante aus der Küche; mit wehenden Röcken und langen Schritten lief sie der Ritterin entgegen. „Nehmt mich mit!", rief sie. „Ich muss hier weg!"

Da hielt Dornrösschen an und berichtete, was geschehen war. Daraufhin hoben sie den Toten auf und legten ihn auf seine Bett-statt. Am dritten Tage begruben sie ihn in einem Winkel des Gemüsegartens. Nochmals bot Dornrösschen der Prinzessin Möhre an, sie mitzunehmen. Doch sie war untröstlich und wollte von dem Schloss des Magiers nicht weg.

So bot sie der Gouvernante an aufzusteigen und mit ihr heimwärts zu reiten. Und so kehrte Dornrösschen von ihrer Prinzenfahrt unbemannt zurück; der eine Prinz mit einer Anderen verheiratet, der andere bei seinem eigenen Magie-Trick ums Leben gekommen.

Dornrösschen hatte danach nie einen Prinzen für sich selbst gefunden. Manchmal doch träumte sie davon, was hätte geschehen können, wenn sie an Stelle der Prinzessin Erbse im Turmzimmer auf den Jungmann gewartet hätte. Und wenn sie nicht gestorben ist, so träumt sie davon noch heute.

DIE ERLEBNISSE DES KÖHLERSOHNES
MIT DEN ELFEN

Vor langer Zeit war der Urgroßvater noch ein Kind, er war der Sohn eines Köhlers. Der lebte und arbeitete mit seinem Sohn und seiner Frau im tiefen, tiefen Wald und machte Kohle.

Der Urgroßvater also, als er ein Junge war, sollte seinem Vater, dem Köhler, beim Kohlemachen helfen. Doch wann immer er konnte, stahl er sich davon und ließ den Meiler einen Meiler sein. Da begab er sich zu einem nahegelegenen Waldsee, auf dem Teichrosen wuchsen. Allzu gern besah er sich deren gelben Blüten. Dazu setzte er sich auf einen Felsen am Ufer. Oder wenn es regnete, versteckte er sich unter der hohen Trauerweide, die an dem Felsen wuchs und ihren Laubschirm über den Teich spannte.

Oft kam er hierher, wenn der Vater gesagt hatte, die Kohle wäre fertig und der Meiler müsste abkühlen, so dass man nachher die Holzkohle ausziehen könnte. Dann nämlich hatte er einige Zeit für sich, ehe wieder nach ihm verlangt würde.

Besonders gern kam er bei Regen an den Waldteich, denn dann konnte er die Wasserelfen in den Regentropfen vom Himmel herabfahren sehen. Mächtige schwarze Wolken waren herangetrieben, aufgebläht wie die Segel eines Dreimasters vor dem Wind. Und aus ihnen ergossen sich die Regentropfen, wie silberne Schnüre aneinander gereiht.

Sah der Köhlersohn genau hin, dann beobachtete er, dass jedesmal, kurz bevor ein Tropfen auf den Boden aufschlug oder auf den Teich prallte, ein funkelnder Wasserelf daraus hüpfte, sich dabei um sich selbst drehte – wie eine Primaballerina ihre Pirouetten dreht – und dann – auf einmal verschwunden war! Wie gern hätte er in Erfahrung gebracht, wohin die Wasserelfen dann gingen und was genau sie da trieben.

Einmal sah er, wie ein Regentropfen auf das ausgebreitete Blatt einer Teichrose fiel und wie mit einem bunten glitzernden Funkeln ein Wasserelfenmädchen aus dem Tropfen trat und sich auf das

Teichrosenblatt setzte. Da streckte und reckte sie sich und sah sich um.

Der Köhlersohn wunderte sich, warum die Elfe nicht auch verschwand, sondern da war. Da er sich, wie stets, unter der Trauerweide versteckt hatte, hoffte er, sie würde ihn nicht bemerken, so dass er weiterhin dieses himmlische Wesen betrachten könnte. Doch da spürte er schon, dass sie in seine Richtung spähte und ihn entdeckt hatte. „Komm doch heraus", sprach sie, und ihre Stimme klang hell, klar und leise, fast wie eine Windharfe. „Ich weiß, dass du da bist."

Da trat der Junge ans Ufer, als gerade ein Sonnenstrahl zwischen den dicken Wolken hervorbrach und er die Elfe in ihrer ganzen Schönheit betrachten konnte. Über ihre porzellanweiße Haut trug sie ein wasserblaues knöchellanges Kleid mit einem ebenso wasserblauen Schleier, der ihr grün gescheiteltes Haar bedeckte, bis auf ein paar Strähnen, die ihr auf die Stirne rutschten. Dieser Schleier war so lang, dass er auch über ihre Schultern fiel.

Der Junge wollte nun wissen, was die Wasserelfe auf dem Blatt vorhabe. Ja, warum sie denn da sei und nicht verschwunden wie all' die anderen. „Sie sind nicht verschwunden", erwiderte sie da lächelnd, streifte sich den Schleier ab und lud ihn ein, zu ihr auf das Teichrosenblatt zu kommen. Da würde sie ihm die anderen Wasserelfen schon zeigen.

Da trat der Junge mit seinen Stiefeln ins Wasser, bis das Wasser ihm fast oben in die Stulpen hineingeronnen wäre, da ward er gewahr, dass er gar nicht schwimmen konnte. So kehrte er um. Als die Elfe das bemerkte, beschloss sie, zu ihm ans Ufer kommen. Dazu stand sie auf, trat über den Rand des Teichrosenblattes und lief auf ihn zu. Mit ihren Zehen machte sie dabei kleine Kringel auf dem Wasser ohne einzutauchen. Hopp, und da stellte sie sich vor ihn auf, ihre Hände in die Hüften gestemmt, ihren Kopf mit einem Lächeln nach hinten geworfen: „Schau, ich kann das!"

Just da, wo der junge Mann überlegte, was er nun mit dem Elfenwesen anfangen sollte, da erscholl des Köhlers Bassstimme durch den Wald. Er forderte seinen Sohn zurück zur Arbeit am Kohlenmeiler. Da musste er nun, ob er wollte oder nicht, dem Vater entgegeneilen. Die kleine Elfe -, ja was tat die? Sie nahm – klicks, platsch – die Gestalt eines Wassertropfens an, der auf die rechte Schulter des jungen Köhlers fiel und dort kleben blieb, ohne einzuziehen oder am Ärmel herabzurinnen.

Nun musste der Junge zupacken, er sollte aus dem abgekühlten Meiler die Kohle auszuziehen helfen. Doch wie ungeschickt stellte er sich an! Er riss die Grasdecke derart schnell herab, dass aus der glimmenden Holzkohle Flammen schlugen. Da schalt ihn der Vater einen faulen Deppen und jagte ihn davon: „Geh' weg, bevor du noch mehr Schaden anrichtest! Geh' mir aus den Augen und lass' dich nie wieder blicken!" So zornig war der alte Köhler geworden.

Da wurde dem Jungen das Gesicht bleich und statt einen Eimer mit Wasser zu heben, um die Flammen zu löschen, ließ er alles stehen und liegen und eilte davon. Auf die Rufe seines Vaters - „Hiergeblieben! Bleibst du wohl da und löschst!" - achtete er gar nicht. Nunmehr nahm er die Beine in die Hand und lief fort, immer weiter in den Wald hinein. Doch ehe er sich's versah, sah er durch die Erlenstämme den Teich blitzen, an welchem er zuvor die kleine Wassernixe getroffen hatte.

**

Die Wasserelfe hatte er ganz vergessen und er erschrak nicht wenig, als sie – klicks, platsch – ihm von der Schulter glitt und sich vor ihm aufstellte. „Das war töricht von dir", sagte sie leise, doch bestimmt. „Was willst du jetzt unternehmen?"

Um eine Antwort nicht verlegen, trotz des Schrecks über das Wiedererscheinen der Elfe, bekundete der Junge, er wolle nun in die weite Welt hinausziehen, um zu erkunden, was es da draußen alles gebe. Ob sie ihn begleiten wolle? -- Da wiegte die Elfe nachdenklich ihren Kopf. „Auf, unter und am Wasser habe ich Macht", gab sie ihm zu bedenken. „Doch auf dem Lande, auf den trockenen Pfaden, die ihr Menschen entlanggeht, nur wenn ein Regen fällt." - Die Antwort gefiel dem Jungen. „An Regen mangelt es in meinem Lande nicht. So komm denn mit!" Er reichte ihr die Hand, als wolle er mit ihr Hand in Hand weitergehen. Doch die Wasserelfe nahm wieder die Gestalt des Regentropfens an und setzte sich so auf seine Schulter.

In die weite Welt hinaus, um zu erkunden, was es alles da gibt? Wohin genau sollte der junge Köhlerssohn seine Schritte lenken?

Voller wirrer ungeordneter Gedanken stolperte er über die Wurzeln am Ufer des Teichs. Bald hatte er den Bacheinlauf entdeckt, der unter dickem Brombeergestrüpp versteckt lag, doch deutlich genug sein Gurgeln hören ließ, mit dem er über die Kiesel in seinem Bette sprang, um all sein Wasser in breiten Strudeln in den Teich zu ergießen. Plumpen Schrittes tappte er durch das Gestrüpp und den Bach, nur um sich dann ins Gras zwischen die Pilze und den Klee zu setzen.

Da erschien die Wasserelfe und begehrte zu wissen, warum er Rast einlege. „Ich weiß nicht weiter", gab der Junge zur Antwort. „Ich weiß nicht, wohin." - „Hast du denn niemanden, zu dem du gehen kannst?", erkundigte sich die Elfe. - Der Junge schüttelte den Kopf. „Hierbleiben können wir nicht", entschied daraufhin die Elfe, „bei Giftpilzen und Mauselöchern haltet ihr Menschen es nie lange aus. Kannst du auf Bäume klettern? Dann übernachten wir hier."

So suchte der Junge die nächste Eiche aus, zog sich an einem der starken Äste hoch und kletterte hinauf. In der nächsten Astgabel fand er genug Platz, um sich zum Ausruhen zusammenzukauern. Die Elfe verabschiedete sich für einen Moment, da sie die anderen Wasserelfen treffen und sich mit ihnen beraten wollte. Der Junge sollte hier, in der dichten geschützen Baumkrone, auf ihre Rückkehr warten. Dem war es recht und so wäre er bald, kaum dass die Elfe entwischt war, eingeschlafen. Doch so krumm er da hockte, taten ihm bald Beine und Füße weh, so dass an Schlaf oder Schlummer nicht zu denken war.

Dafür schaute er der Wasserelfe nach, wohin sie denn entschwinde. Er sah sie durch die dämmrige Luft schweben, hinab zu dem Bachlauf, der in den Waldteich mündete. Kaum berührten ihre Füße den bemoosten Boden, da ward sie, so sah es der Junge, von einem warmen glitzerenden Licht eingehüllt. Und von überallher kamen rot, gelb, violett und blau funkelnde Tröpfchen herangeschwebt, die um die Wasserelfe herumwirbelten. Dazu hörte der Junge von der Eiche herab ein Summen und Surren wie von Wespen. Alsdann sah er die Wasserelfe umringt von lauter bunt funkelnden Gestalten, die etwa genau so groß oder klein wie sie waren; damit waren all die anderen Wasserelfen zu ihr gekommen und aus ihren Tropfen gestiegen. Nun standen sie an der Bachmündung vereint zusammen und berieten sich miteinander. Worüber sie wohl reden mochten, das bekam der Junge in der Eiche nicht mit, verstand er doch die Sprache der Elfen nicht, zumal sie eher miteinander tuschelten als dass sie ihre Stimme erhoben. So war der junge Köhler doch bald in der Astgabel seiner Eiche eingeschlafen.

***

Am anderen Morgen weckte ihn seine Wasserelfe: „Guten Morgen, der Herr Köhler! Weißt du, wie es heute weitergeht? Ich weiß es! Aber frühstücke erst." Mit diesen Worten hielt sie ihm zwei Hände voller Eicheln und Bucheckern hin, fein aus ihren Schalen gepickt, dazu hatte sie ein Horn voll klaren Bachwassers für ihn bereitgestellt.

Der junge Köhlerssohn zögerte, nahm dann doch die liebevoll hingehaltenen Bissen an, da er gewahr wurde, dass er im Wald so schnell keiner anderen Speise habhaft werden könne.

Nach dieser Frühmahlzeit machte er sich selbst klar, dass er nun eine Entscheidung treffen müsse. Doch zuvor hatte er noch ein anderes Anliegen, er wollte wissen, auf welchen Namen die Wasserelfe höre? Diese Frage schien sie zu verwirren. „Name?", fragte sie zurück. „Ich bin die Wasserelfe, du kennst mich doch."

Dann eröffnete sie dem Jungen den Plan, den sie und die anderen Elfen beschlossen hatten: „Heute werden wir den Bach entlang ein gutes Stück gehen. Weiter oben ist eine Mühle, wo andere Menschen leben. Wie du, Menschen. Bestimmt wissen die Rat. Warst du schon mal an einer Mühle?", wollte sie noch wissen.

Der entlaufene Köhlerssohn schüttelte nur den Kopf und machte Anstalten von der Eiche herabzusteigen. Am Boden sprang er erst einige Male auf und nieder, um sich nach der frischen Nacht aufzuwärmen. Sobald er das getan, machte er sich auf den Weg, entlang dem Bachlauf der Mühle zu wandern. Zu seiner Erleichterung hatte er einen Pfad ausfindig gemacht, auf dem es sich viel leichter lief als über glitschigglatte Kiesel und Moosbetten zu steigen.

Und da hörte er auf einmal wieder das Summen und Surren, als ob ein Wespenschwarm angeflogen komme. Wie er sich umsah, bestätigte seine Wasserelfe nickend: Ja, das seien die anderen Wasserelfen, die sie begleiten und sie zu beschützen trachteten vor jedweder Unbill, die sich ihnen entgegenstellen sollte.

Das war schon bald der Fall, als der Pfad immer höher anstieg, wohingegen der Bach über drei mannshohe Stufen herabfloss.

Überall musste der Junge über von Moos feuchte Steine klettern, manchmal über umgestürzte Baumstämme steigen oder darunter herkriechen. Der Pfad zur Mühle holte in einem weiten Halbbogen aus und führte so von der obersten Stufe fort, und auch dort entlang hieß es den steilen Anstieg zu überwinden.

Solcherlei Wege war der junge Mann nicht gewöhnt, weder auf festen Wegen noch quer durch den Wald. So musste er sich, kaum dass die oberste Stufe hinter ihm lag, sich einen Platz zum Ausruhen suchen. Den fand er in einer Mulde, die von hohen Farnbüscheln zugewachsen war. Diese Stelle fand er so schön weich, dass er sich sogleich ausstreckte, um ein Nickerchen zu halten. Der Schwarm der Wasserelfen umkreiste indes die Wasserelfe, sie surrten und brummten dabei.

Dann brach ein Rotfuchs durch das Unterholz, er lief auf den schlummernden Jungen zu. Das bemerkten die Wasserelfen, und sofort umschwirrten sie, zornig brummend, den Kopf des Fuchses. Der hingegen meinte, einen Schwarm Wespen vor sich zu haben, jaulte auf und schnappte nach ihnen. Die Elfen wiederum spritzten ihn nass, weil sie wussten, dass ein Fuchs das nicht leiden kann.

Von dem Lärm erwachte der Junge, erschrak zunächst ob des nahen, jaulenden, schnappenden Fuchses und besann sich dann ihn zu begrüßen: „Schaust du auch mal herein und willst wissen, was wir in deinem Revier treiben? - Das sind keine Wespen, das sind meine Freunde", fügte er hinzu. Da legte der Fuchs eine Pfote auf die Hand des Köhlerjungen. „Wir können miteinander sprechen", redete er den Menschen an, „das ist gut. Ich bin nämlich hergekommen, um dich um Hilfe zu bitten." - Weiter kam der Fuchs nicht, denn der Junge erschrak auf einmal, als ihm klar wurde: Tier und Mensch reden miteinander in ihrer eigenen Sprache, und sie verstehen einander. Da dachte der Junge nur noch daran vor Schrecken wegzulaufen, nahm seine Beine in die Hand und außerdem reißaus, quer durchs Unterholz.

„Was ist nur in den Jungen gefahren?", fragte sich die Wasserelfe. „Ich muss ihn suchen." Überall hin schwirrte sie nun, zwischen bemoosten Felsblöcken, unter Erlen, Eichen und Buchen, und fand den Jungen in einer Höhlung unter den vorstehenden, in die Luft ragenden Wurzeln einer Erle am oberen Ufer gekauert, zitternd vor Angst. „Du bist ein Feigling", schalt sie ihn, aber nicht bös', und damit zog sie ihn aus der Höhle heraus.

„Was wollte der Rotfuchs von dir?", wollte sie wissen, doch der Junge wusste darauf keine Antwort. Derart beschämt, zog der junge Köhlerssohn weiter, in Begleitung seiner Wasserelfe und der anderen Elfen, die ihn doch vor dem mitteilungsfreudigen Rotfuchs beschützen wollten. Den ganzen Morgen trat er durch das Unterholz, über bemooste Flecken am Bachufer, er wich abgeknickten Baumstämmen aus, und dabei musste er zugleich den Anstieg überwinden. Seine Begleiter hingegen schwirrten und schwebten mühelos auf gleicher Höhe mit.

***

Gegen Mittag wurde der Weg ebener, der Wald wich zurück, und da konnten sie in der Ferne auch schon das Reetdach der Mühle erkennen. Nun führte der Weg sie schnurstracks darauf zu. Schon von weitem war das rhythmische Knarren des Schaufelrades zu hören, das von dem darunterher laufenden Bach angetrieben wurde. „Ei, das wäre schon was!", staunte der Junge, als er sich das dreimenschenhohe Rad betrachtete, das immer wieder seine Schaufeln in den Bach eintauchte, vom strömenden Wasser vorangetrieben wurde und schließlich seine Schaufeln in die Luft erhob, aus welchen kleine glitzernde Rinnsale troffen.

Hier gefiel es auch den Wasserelfen, denn sie ließen sich auf jede der Radschaufeln nieder und drehten eine Runde damit und noch eine. Nur die Wasserelfe blieb bei dem Jungen stehen und seufzte: „So, da wir jetzt bei anderen Menschen sind, musst du dich entscheiden, ob du hierbleiben willst."

Noch ehe der junge Mann sich entscheiden konnte, kam der Müller selbst aus dem Haupthaus gelaufen und polterte dabei: „Was zum – läuft die Mühle nicht rund?! Irgendetwas klemmt da wohl wieder!" Er suchte das Wasser unter dem Mühlrad ab, ob sich etwa ein Stein daran verfangen hätte und so seinen Rundlauf hemmte. Wen er fand, war der entlaufene Köhlerssohn; die Wasserelfen hatten sich indes in die Wellen gestürzt und waren so ein wenig davongeschwommen. „Was stehst du da so krumm herum und hälst Maulaffen feil!", scholt der Müller den Jungen. „Hast du einen Stein ins Rad geworfen? Das sollst du büßen!" Mit diesen Worten holte er aus, um dem Jungen eine Backpfeife zu verpassen. Da hörte er um seinen eigenen Schädel ein Sausen und Schwirren, dachte, zornige Wespen wollten ihn stechen. So schlug er, statt den Jungen zu treffen, wild um sich.

Der Köhlerssohn dagegen duckte sich, um dessen starken Händen auszuweichen, doch davon lief er nicht, blieb stehen, wo er stand, und schaute zu, wie der Müllersmann versuchte, die Wespen abzuschütteln, die doch seine neuen Freunde, die Wasserelfen, waren! Schließlich stolperte der, so dass er ins Wasser fiel. Da ließen die Elfen von ihm ab und sahen zu, wie er wütend und trotzig ans Ufer krabbelte.

Plitschnass wollte er nun den ungebetenen Zuschauer vertreiben, doch der blieb ruhig stehen, wo er stand, und deutete auf das Mühlrad. „Ich will bei euch arbeiten", sprach er ruhig. „Wenn ich herausfinde, warum das Rad nicht rund läuft und ich den Schaden beheben kann, dann nehmt mich als Gesellen. Ich bitte sehr!"

Grummelnd sah der Müller den Jungen an. „Kannst du denn Holzbalken heben und Zahnräder schmirgeln?" Der Junge, der nie solche Tätigkeiten bisher ausgeübt hatte, nickte heftig, das könne und wolle er gar sehr gerne tun. Denn er wollte herausfinden, ob das Handwerk eines Müllers und die Handarbeiten an der Mühle etwas für ihn seien.

So durfte er beim Müller bleiben, um herauszufinden, was der Schaden sei und wie er zu beheben wäre. Er besah sich das Wasserrad von oben, von unten, er besah sich den Balken, den das Mühlrad drehte und die daran angebrachten Zahnräder. Auch den Mühlstein sah er sich genau an. Ja, er wagte sogar sich darauf zu hocken und einige Runden mitzufahren, wobei er sich immer wieder vor den Rädern und Balken ducken musste, die zum Stein und von ihm weg führten.

Als der Müller den Jungen auf dem Mühlstein herumfahren sah, dachte er freilich, das wäre ein Kinderspiel von ihm und wollte ihn schon verwämsen, da sprang der Junge vom Stein und rief nur erschrocken aus: „Ich hab's! Ich hab's 'raus, woran es liegt!"

Da hatte der Müller schon mit der breiten Hand zum Schlag ausgeholt, da war der Junge bis zur Wand zurückgewichen. Er schrie: „Unrund, warum's unrund läuft!" Er schnappte nach Luft, als er sah, dass der Müller über einen halbvollen Mehlsack setzte. „Der Balken vom Rad läuft nicht mehr g'rad' in die Mühl' hinein! Die zackigen Zahnräder laufen schief und klemmen! Außerdem ist der Stein etwas --"

Weiter kam er nicht, da langte der Müller in seinem Zorn mit kräftiger Hand zu, wollte ihm eine Backpfeife versetzen, stolperte dabei über einen weiteren Sack und fiel der Länge nach hin, dem Jungen vor die Füße. „Du bist entlassen!", hatte er noch brüllen wollen, doch der Sturz verschlug ihm die Stimme.

Und der Sohn des Köhlers war schon aufgesprungen und hatte das Weite an die frische Luft gesucht. „Nein, hier bleibe ich nicht", entschied er, klopfte sich das Mehl von Wams und Hosen, dann ließ er die Mühle hinter sich. Erst jetzt fiel ihm auf, dass keine der Wasserelfen sich blicken ließ. Doch erst nach einem Wettlauf – als ob er fürchtete, der Müller wollte ihn einholen – blieb er keuchend stehen und sah sich um.

***

Da trat hinter einem von Wasserpest bewachsenen Uferstreifen seine Wasserelfe hervor, und die anderen Elfen folgten ihr als winzige, bunte Funken. Nach einer kurzen Beratung beschlossen sie weiterzuziehen in die nächste Stadt.

„Denn in der Stadt", so frohlockte der Junge, „sind alle frei, und jeder kann tun und werden, was er will. Ich werde mich bei einem Händler oder Handwerker dingen, davon sollt' sich's leben lassen." Die Wasserfee begleitete ihn in ihrer menschlichen Gestalt, umschwirrt von den anderen Wasserelfen. „Ich gehe gern mit dir", sprach sie zu ihm, „doch hier in der Stadt mit ihren Häusern aus Stein, wo kein Baum wächst, kein Bach rinnt, bin ich macht- und kraftlos. Du musst in der Stadt mit deiner eigenen Kraft zurechtkommen." Der Junge nickte zustimmend und setzte seinen Weg festen Schrittes fort. Er bemerkte nicht, dass ihm und seinen Begleitern in gebührendem Abstand ein Rotfuchs folgte.

Doch kaum hatten sie das Stadttor passiert, da schwand sein Mut. Denn niemand fand sich, der ihn von seinem Tellerchen essen lassen wollte; der Bäcker jagte ihn fort. Niemand, der ihn von seinem Becherchen trinken lassen wollte, der Küfer wies ihm die Tür. Niemand, der ihn in seinem Stall schlafen wollte; der Kaufmann verscheuchte ihn.

Daher strolchte er am Abend ziellos durch die Gassen und wusste nicht, wo er die Nacht verbringen und wovon er die kommenden Tage leben sollte. Schließlich ließ er sich in einem dunklen Winkel an der Stadtmauer nieder, seine Wasserelfe hockte sich neben ihn. Doch kaum war er eingeschlummert, als ein Tagelöhner ihn anstieß: „Haste mal 'nen Heller?" Unwillig drehte er sich um und wollte weiterschlafen. Da kam ein alter Bierbauch aus einem Wirtshaus und weckte die Elfe: „Wie wär's mit uns beiden? Willste poppen?" Sie schreckte auf, doch war zugleich erleichtert, denn ihre Elfengenossen hatten sie nicht im Stich gelassen: Sie umwölkten den

Schädel des nicht sehr standfesten Aufdringlings, so dass er fürchtete, ein Haufen Glühwürmchen würde ihn blenden. Und so trollte er sich in die nächste im Nachtschatten gelegene Gasse.

Später drehte der Nachtwächter seine erste Runde, er scheuchte den Jungen und die Elfe mit einem Fußtritt auf und hieß sie, sich zu verziehen. Da trabten sie nun selbst durch düstere stinkende Gassen und entdeckten hinter einer Mauer einen Apfelbaum.

Der Junge erklomm die Mauer und setzte hinüber, die Elfe schwebte hinterdrein. Ja, da gab es einen Garten, darinnen ein Apfelbaum an einem Teich. Behende kletterte sie die unteren Äste empor, er folgte ihr. Inmitten der Apfelbaumkrone, verborgen unter seinem Laub, legten sie sich nieder so gut es ging und er schlief sofort ein. Die Wasserelfe aber bedeutete der umherziehenden Schleiereule, nicht allzu laut zu schreien, und den Fröschen im Teich, einmal leise zu quaken. Doch den zwischen den Apfelbäumen umherschnürenden Fuchs bemerkte auch sie nicht.

Am andern Morgen gab es Äpfel zum Frühstück, die sie sich ohne Mühe von den Ästen klauben konnten. Die Elfe drang zur Eile, der Besitzer des Gartens sollte sie nicht entdecken. Der Junge pflückte noch schnell einen letzten Apfel und stopfte ihn sich in die Joppentasche, dann sprang er vom Apfelbaum. Da er keinen Ausgang von dem Garten fand, musste er wohl oder übel wieder über die Mauer setzen, über die er am Abend gekommen war.

Heute war Markttag, allerlei Bauern und Händler waren mit ihren Waren unterwegs zum Marktplatz. „Da wird sich mehr finden lassen", frohlockte der Junge, „entweder eine Arbeit oder doch ein zweites Frühstück." So schlenderte er zwischen den Ständen und Boten her, die Elfe stets an seiner Seite, als wären sie ein jung vermähltes Ehepaar. Da wurden Eier und Milch verkauft, Fische von der See und Gewürze aus dem Orient, Lederbeutel und sogar ganze lebendige Ochsen.

An dem Stand mit den blau gefärbten Tüchern blieb er stehen. Ein indigogefärbtes Halstuch hatte er noch nie gesehen und wollte es befühlen, da haute der Händler ihm eins auf die Finger und jagte ihn fort. Am Tisch daneben wurden Orangen und Datteln feilgeboten. Und wie er sich die leuchtenden Orangen besah, erschrak er: Er hatte überhaupt kein Geld zum Bezahlen bei sich! Da konnte ihm auch die Elfe nicht aushelfen. Zu seinem Unglück kullerte ihm da der Apfel aus der Joppe, quer über die Straße, so dass es auch die Frau am Obststand sah. Schon rief sie: „Haltet den Dieb!"

Der Gendarm, der gerade daher patrouillierte, hörte ihren Schrei und hielt sogleich Ausschau, wer der Dieb sein mochte. Da rannte der Junge schon, den Apfel hatte er liegen lassen müssen, er wäre sonst von Händlern und Städtern aufgehalten worden. Er drängelte sich am Milchmann vorbei, der gerade zwei hohe schwere Kannen absetzte. Er prallte gegen die Bäuerin mit dem Eierkorb, den sie vor Schreck so heftig in ihrer Hand schaukeln ließ, dass drei Eier herausplumpsten und an dem Jungen kleben blieben. Er schlug einen Haken nach rechts, kroch unter den nächstbesten Warentisch, krabbelte am anderen Ende hervor. Da hörte er ein weiteres „Haltet den Dieb!", diesmal von dem Gendarmen und einigen Marktbesuchern, die er zuvor angerempelt hatte.

Auch ein „Fuchs, du hast die Gans gestohlen, gib sie wieder her!" ertönte in dem Tumult, doch achtete der Junge nicht darauf, war er doch darauf aus, seine eigene Haut zu retten.

Wohin? Wo lang? Zwei Bauern stellten sich ihm in den Weg, jeder einen Klafter groß und ebenso breit. Da warf der Junge sich an den Boden und krabbelte auf allen Vieren zwischen ihren Beinen hindurch. Wo lang? Wohin? Doch da sah er gleich drei Gendarmen ihm nachsetzen, auch sie preschten durch die Gassen voller Menschen und hätten ihn bald am Schlawittchen packen können, hätte er nicht vor sich eine Quergasse mit einer Mauer entdeckt und wäre darüber geklettert. Da kugelte er wieder in den Garten mit dem Apfelbaum, in dessen Krone er die letzte Nacht verbracht hatte.

Nun war er in eine missliche Lage geraten, denn er hatte keinen Ausgang aus diesem Garten gesehen, und auch die Wasserelfe hatte er an dem Obststand aus den Augen verloren. Da entdeckte er sie, unter dem Apfelbaum, im hohen Gras am Teichufer hocken, wie sie sich mit einer Unke unterhielt. Von ihr erfuhr sie, wie sie aus dem Garten entkommen konnten, denn der Teich wurde von einem Bächlein gespeist, das durch ein Loch in der Mauer am anderen Ende floss. So brauchten sie nur durch dieses Bächlein zu waten, um den ummauerten Garten hinter sich zu lassen.

Dort ging es zwischen Gärten und Hinterhöfen hindurch. Der Rummel vom Marktplatz lag hinter ihnen, auch verstellte ihnen kein Gendarm den Weg. Da erreichten sie schon die Stadtmauer, die alle diese Höfe, Häuser, Gassen und Plätze umschloss. Hier herüberzusteigen war unmöglich, sie mussten eins der Stadttore finden. Sie liefen nach links, sie schauten sich nach rechts um: Bestimmt drei Mann hoch verlief die Mauer, ohne dass sie einen Durchgang entdeckten.

Sie liefen neben den Karren her, die von Hunden gezogen wurden, trabten hinter beleibten Männern mit schwarzen Fräcken und schwarzen hohen Zylindern her, in der Hoffnung, dass einer seine Schritte zum Stadttor lenken werde. Da sah der Junge, dass eine Streife von zwei Gendarmen ihm entgegen schritt. Gleichzeitig fühlte er einen Knuff in seinem Rücken: Die Wasserelfe bedeutete ihm weiterzugehen, denn diese Uniformierten hatten ihn wohl weder entdeckt noch erkannt. Gerade als sie an ihnen vorbei waren, hörten sie hinter sich, bei Lärm und Säbelrasseln, „Da ist er!" rufen –, da hatte eine weitere Streife den Jungen gesehen. Und nun waren sie zu viert hinter ihm her!

Wohin denn nun, wo entlang? Aufs Geratewohl sprang er auf einen Wagen, der von einem Pferd gezogen wurde, und die Elfe mit ihm. Der Knecht, nicht faul, hob die Zügel und hieß das Pferd lostraben. „Zur Stadt hinaus", bettelte der Junge und der Knecht bog auf eine breite Straße ab, die wiederum auf die Mauer zu lief. „Legt euch hin", befahl er, ohne sich umzudrehen. „Wir sind gleich 'naus." Da kroch der Junge sogar unter die Ladung auf dem Karren: Es waren Bündel von Fellen und Knochen von Pferden, er war auf einen Abdecker geraten. Die Wasserelfe zog er unter die Häute, daran würden sich die Gendarmen gewiss nicht wagen.

Vor dem Stadttor musste der Knecht beim Wachposten anhalten und seine Papiere vorzeigen, dass mit seiner Ladung alles rechtens sei. Der Junge hielt die Luft an, hörte er doch den Lärm der Gendarme näher kommen, und er ängstigte sich, der Abdecker könnte noch vor Verlassen der Stadt kontrolliert werden. Schon hörte er die Stimmen: „Halt! Den Wagen! Durchsuchen!"

Als nächstes hörte er jemanden am Wagen hoch klettern, es mochte ein Gendarm sein. Der Junge hielt die Luft an, spürte er doch, wie eine der Häute gelupft wurden. Und gleich darauf losgelassen wurden. „Nur Reste vom Abdecker", hörte er den Gendarm feststellen. „Weiterfahren!" So setzte der Wagen mit den Knochen und Fellen toter Pferde und Kühe seine Fahrt fort, durch das Stadttor hinaus auf die Landstraße. Hinter einer Kurve hielt der Kutscher an, der Köhlerssohn sowie die Wasserelfe krochen unter den Häuten hervor, bedankten sich, sprangen ab, und der Junge ließ es sich nicht nehmen, dem Wagenlenker nachzuwinken.

Lange sah er dem Gefährt nach. „Jetzt müsste man Drachen töten und Prinzessinnen retten können", seufzte er. Da wollte die Wasserelfe wissen, was er damit meine. Betrübt ließ er den Kopf sinken. „Dreimal bin ich verjagt worden", seufzte der Junge, „vom Vater, vom Müller, vom Markt. Was fange ich nun an?" Doch sein

Blick hellte sich auf, als er wieder auf die Chaussee blickte. „Wozu ist die Straße da? Zum Marschieren, zum Marschieren in die weite Welt!", erinnerte er sich eines alten Liedes und ging singend schnurstracks die Chaussee entlang, die Wasserelfe folgte ihm. Sie gab ihm zu bedenken, dass sie auf dem Lande, ohne Wasser in der Nähe, ihre Kräfte verlieren werde, und auch ihre Artgenossen habe sie noch nicht wieder erspäht. Der Junge zuckte mit den Achseln und trabte weiter.

Da überquerten sie auf einer schmalen Brücke den Bach, dem sie tags zuvor bis in die Stadt gefolgt waren. Hier plätscherte er auch, und wenn sie nun weiter bachaufwärts gingen, dann kämen sie sicher bald an seiner Quelle an. Das war also der Weg, den sie nehmen wollten, an der Brücke hinab zum Ufer und dann auf einem Pfad den Bach entlang. So verließen sie die Stadt und schlängelten sich zwischen Schwarzerlen und Trauerweiden am Bachufer entlang. Durch die Baumkronen hindurch sahen sie die Weiden und Äcker in der Morgensonne schimmern. Immer noch - oder wieder schon - folgte ihnen ein Rotfuchs, darauf bedacht, ihnen nicht zu nahe zu kommen und dabei auch nicht so weit nach hinten zu fallen, dass er den Menschen und sein elfisches Gefolge verlöre.

Und auf einmal hörten sie wieder das Gesumm wie von Wespen, das musste der Schwarm der Wasserelfen sein. Richtig, sie hatten die beiden wiedergefunden und setzten ihre Reise gemeinsam fort. Ihr Weg stieg nun an, es ging einen bewaldeten Hügel hinauf, Felsblöcke hatten sie auf einmal zu umrunden, umgeknickten Föhren mussten sie ausweichen. Einmal kniete der Junge nieder, um vom Bach zu trinken. Obwohl das Wasser eisekalt durch seine Finger rann, führte er gierig beide Hände zum Mund.

Die Sonne war höher gestiegen, die Luft wärmer, und die welligen Wiesen waren Hügeln gewichen, mit Nadelholz und Felsen. Einen Pfad gab es hier nicht mehr, sie nahmen ihren Weg am Bach nach

Augenschein. Über Kräutermatten gingen sie, über glitschige Wurzeln sprangen sie, sie hopsten von Stein zu Stein.

Allmählich wurde der Wald dichter und dunkler und ihr Weg führte steiler voran. Daher drückte sie die Wärme ihres Anstiegs. Am späten Nachmittag erreichten sie die Quelle. Zwischen drei Felsblöcken sprudelte Wasser in einen Tümpel und quoll da heraus ins Bachbett. Hier hielten die Reisegefährten an, um sich umzusehen, wo sie am besten ihr Lager aufschlagen wollten.

Während der Junge eine windgeschützte Stelle unter einem Felsen aussuchte und mit Kiefernzweigen auspolsterte, tauchten alle Wasserelfen in die Quelle, um sich von der Reise zu erholen. Sie plantschten und wälzten sich in dem kühlen Nass, tauchten auch; hier waren sie in ihrem Element.

Schließlich hatte der Junge Feuerholz zusammengetragen, auch einige Blaubeeren aufgelesen. Die Wasserelfen setzten sich zu ihm unter den Felsen. Sie waren, in ihrer jetzigen Gestalt Frauen und Männern gleich, in regenbogenfarbige Tücher gehüllt. „Was wirst du jetzt tun?", fragte ihn seine Elfe. - „Überall wurde ich vertrieben", dachte der Köhlerssohn nach. „Nirgends braucht man mich. Ob ich hier bleiben will und was ich hier tun kann, weiß ich nicht. Weiter zu reisen und immer weiter, ist wohl eine recht kluge Entscheidung, man lernt so viel dabei. Andererseits kann ich mein Glück überall da versuchen, wo ich gerade bin. Also hier."

Wie er so darüber nachdachte, was er aus seinem Leben machen solle, und wie die Wasserelfen ihm zuhörten, da raschelte und knackte es in den Zirbelsträuchern rings umher. Da brach etwas Rotes hervor und schoss auf die Bachquelle zu. Ein Rotfuchs war es! Ein großer und kräftiger dazu, doch ängstlich war er, denn er hielt die Runte zwischen die Läufe geklemmt. Als die Elfen bemerkten, wer da herangerannt kam, schrien sie alle auf und tauchten in dem Quelltümpel unter. Auch die Elfe des Jungen war entsetzt aufgesprungen, doch nicht ins Wasser, sondern auf die nächststehende Kiefer war sie geklettert, flink wie eine Eichkatze.

Der Fuchs degegen sprang dem Jungen in den Schoß, der umfing das Tier mit beiden Armen und fühlte auf einmal, wie heftig dem Fuchs das Herz pocherte. Da streichelte er den Fuchs und redete ihm gut zu, um ihn zu beruhigen. Wie schön weich sich des Fuchs' Fell anfühlte. Da erkannte er ihn: „Du bist der Rotfuchs, der mich vor ein paar Tagen im Wald überfiel und mit mir sprechen wollte. Was ist's? Heraus damit!" - „Zuerst musst du mich schützen", erwiderte der Rotfuchs, „der Bär ist hinter mir her! Ich stöberte nach Mäusen unter dem Baum, aus dem er immer seinen Honig holt. Da wollte er mich packen, und ich bin gerannt. Kommt er mir nach?" - „Hoffentlich nicht", beschwichtigte der Junge den armen Fuchs.

Doch die Wasserelfe, die dieses Gespräch mit Staunen mitangehört hatte, sah ziemlich nahe schon die Büsche sich biegen und Pranken durch das Dickicht schlagen. Da wusste sie sofort, wer sich ihnen da nahte. „Er kommt!", warnte sie Mensch und Fuchs.

Schon brach der Petz aus dem Unterholz und trat auf den Grasgrund am Quell. Als er den Fuchs auf dem Schoß des Menschen bemerkte, stellte er sich quer vor beide hin und brummte warnend. Der Fuchs suchte, von dem Jungen wegzuspringen und sich ein Versteck zu suchen, doch der hielt ihn fest am Kragen.

Dem Bären entbot er seinen Gruß und hieß ihn näher kommen, doch dürfe er den Fuchs nicht anrühren. Ob ihm der Honig gut geschmeckt habe, den die Wespen in der Astgabel des Baumes angesetzt hatten? Wie selbstverständlich sprach er, der Mensch, zu dem Bären und meinte, der müsste ihn wohl verstehen. Da horchte der so angesprochene Bär auf, hielt an und hockte sich dem Jungen mit dem Fuchs gegenüber ins Kiefernnadellager.

„Er hat mich beim Essen gestört", erklärte er dann und zeigte auf den Fuchs. „Das kann ich nicht leiden." - „Er wollte dir bestimmt nichts antun", erwiderte der Junge. - „Ich will nicht gestört werden", beharrte der Bär. - Der Junge bestand darauf, dass auch der Meister Petz Ruhe geben sollte. „So ein Honigfreund ist dieser Fuchs nicht. Ihr nehmt euch gegenseitig nichts weg. Also lasse einer den anderen in Ruh' und friedlich leben."

Darauf dachte Bär still nach. „Also gut", lenkte er ein, „ich will mich trollen und das Füchslein hier in Frieden lassen. - Zumal es unser Botschafter ist", schob er nach und erhob sich damit auf seine vier Pfoten. Da griff der Junge in den Haufen Blaubeeren, den er zuvor gesammelt hatte und gab dem Bären davon eine Handvoll als Friedensgruß und Wegzehrung. Der Bär nahm sie an und kehrte in den Wald zu seinem Honigbaum zurück.

Jetzt kümmerte sich der Junge um den roten Fuchs, dessen Herz nun nicht mehr wie wild pocherte. „Siehst du, der große Bär tut dir nichts", redete er dem Tier zu. „Was meint der Bär damit, dass du ein Botschafter seiest?" - „Ich komme im Auftrag der Tierwelt an diesem Wald und seinem Bach zu dir", erklärte da der Fuchs. „Hast du in der großen Stadt die vielen Baukräne gesehen? Es sind so viele Menschen in der Stadt und es kommen täglich etliche hinzu, dass die Menschen neue Häuser brauchen. Sie bauen immer wieder neue Häuser. So viele Häuser, dass sie einen beträchtlichen Teil des Waldes abholzen, um Platz für ihre Häuser zu bekommen."

Nun erklärte der Fuchs weiter, dass die Tiere, die einmal im Wald gewohnt hatten, sich immer weiter in den Wald zurückziehen müssten, da ja ihr bisheriger Platz von den Menschen der Stadt beansprucht wurde. Deshalb wurde es den Tieren im Wald zu eng, zu viele hockten nun aufeinander und machten sich gegenseitig das Leben beim Jagen, Sammeln und Lieben schwer. So war es kein Wunder, dass sogar der Fuchs, mag er auch Botschafter sein, mit einem Bären aneinander geriet. „Deshalb beschlossen wir Tiere", so beendete der Fuchs seine Rede, „uns an die Menschen zu wenden, um ihnen Einhalt zu gebieten. Wir beschlossen, uns an dich zu wenden, denn du kannst mit den Menschen und mit den Tieren reden." Sprach's und trollte sich, zunächst unter einen Busch, um Wasser zu lassen, dann stahl er sich ins weitere Unterholz.

Inzwischen war die Wasserelfe von der Kiefer herabgeklettert und setzte sich zu dem Jungen. „Konntest du das schon immer?", fragte sie verwundert. Diese Frage verwirrte den Jungen zunächst, dann erwiderte er beiläufig: „Ich habe mir nichts dabei gedacht." - Die Elfe staunte: „Du kannst mit den Tieren reden. Du kannst sie zähmen."

Wie zur Bestätigung kam da der Rotfuchs zurück. Er hatte sich eine Maus zum Hungerstillen gejagt und legte sich nun wieder auf den Schoß des Jungen. Der begann ihn zu kraulen.

Einer der Wasserelfen kam hinzu und flüsterte etwas ins Ohr der Elfe. Sie erhob sich. „Wir wollen aufbrechen", erklärte sie dem Jungen. „Meine Genossen wollen weiterziehen, denn woanders muss es regnen, da dürfen sie nicht fehlen."

„Und du?", erkundigte sich der Junge, ein wenig ängstlich, nun von diesen hilfsbereiten Wesen allein gelassen zu werden. - „Ein wenig will ich noch bei dir bleiben", antwortete ihm die Elfe, „und dir hier an der Quelle Beistand leisten, damit du dich gut zurecht findest. Ich bin mir aber in einer Sache nicht sicher: Hier draußen bist du alleine, ich meine, ohne andere Menschen. Das kann nicht gut sein." - „Im Moment will ich keine anderen Menschen. Du bist und der Fuchs ist... Ihr seid für mich wie ein Geschenk. Heute ist es gut und morgen ist es gut. Was dann kommt, werde ich ja sehen."

Nun war es Zeit, dass die Wasserelfen aufbrechen wollten und sich verabschiedeten von der Elfe, von dem Menschen und von dem

Fuchs. Nun taten sie sich wieder zusammen wie ein Wespenschwarm.

Darüber war es Abend geworden. Der Junge hatte nochmals nach Blaubeeren gesucht, und der Rotfuchs war losgezogen, um zwei Mäuse und ein Kaninchen zum Abendbrot zu fangen. Das teilten sich Fuchs und Mensch brüderlich; die Wasserelfe hatte Kiefernzapfen gefunden, deren Harz sie gerne schleckte, und bedurfte sonst weiter nichts, denn Wasser war mit der Bachquelle ja in der Nähe.

***

Somit blieb der junge Köhlerssohn mit der treuen Wasserelfe und dem anhänglichen Rotfuchs einige Tage an der Quelle und baute aus Kiefernzweigen und -ästen, die sie hochkant vor einen vorspringenden Felsen stellten, ein Lager. Die langen hellen und warmen Sommertage über streiften der Junge und der Fuchs durch den Kiefernwald; der Junge sammelte Blaubeeren und Brombeeren, die überall an den Lichtungen wuchsen, der Fuchs jagte Mäuse und Kaninchen für sich und seine Hausgenossen. Allein die Wasserelfe rührte nichts davon an, sie bestand auf Bucheckern und Kiefernharz.

Nur den Brummbären mussten sie in Ruhe lassen, wenn sie ihn dann und wann antrafen; er mied seinerseits die Bachquelle. Doch ebenso dann und wann tauschte der Junge am Honigbaum eine Handvoll Blaubeeren gegen eine Pranke voll Honig vom Bären ein. Während dieser Streifzüge und Handelswege setzte sich die Elfe an den Quelltümpel, tauchte ihre Beine ins Wasser und unterhielt sich mit den Mücken, die am Ufer schwirrten, und mit den Lurchen, die auf der Durchreise auf der Suche nach einem sonnigen trockenen Stein waren. Nachts teilten sie das Lager miteinander, genossen den Duft der Kiefernnadeln, der Rotfuchs kuschelte sich zwischen ihnen.

So hatten sie es alle miteinander schön. Nur wenn ein Sommergewitter aufzog, verkroch sich der Junge unter den Felsvorsprung, um trocken zu bleiben, doch bald rann der Regen durch jede Ritze und an jeder Wand entlang. Und die Wasserelfe sprang in den Quelltümpel, spritzte und tauchte, schoss kreuz und quer durch den Teich und war froh, alle die Wasserelfen zu begrüßen, die mit den Schauern herunterpurzelten, sich in der Quelle aalten oder an die Kiefernzweige hängten und in allen Farben des Regenbogens funkelten.

Von ihnen erfuhr die Wasserelfe auch, was inzwischen geschehen war: Zunächst hatte sich ein weiterer Rotfuchs an die Elfen gewandt mit der Bitte, sie bei dem Streit mit den Menschen zu unterstützen. Gleichzeitig war ein Rudel Wildschweine aufgebrochen, begleitet von einer Horde Waschbären, um die Stadt zu überfallen. Jetzt musste ein Krieg verhindert werden! Dazu mussten die Tiere mithilfe der Elfen sich mit den Stadtmenschen verständigen.

***

„Ich muss sie aufhalten!", beschloss der Junge. „Sie dürfen die Stadt nicht überfallen!" -

„Die Menschen breiten sich in den Wäldern aus", erwiderte die Wasserfee, „und stehlen den Tieren ihre Heimat. Und auch uns." -

„Dann müssen wir beides verhindern", entgegnete der Junge. „Ich muss als erstes mit den Wildschweinen und den Waschbären reden. Dann kümmere ich mich um die Menschen."

Damit brach er auf, um die Wildschweine und ihre Helfer zu finden. Gleichzeitig zog die Wasserelfe mit ihren Elfen und dem Rotfuchs los, um den anderen Tieren Beistand zu leisten.

Doch der Köhlerssohn kam zu spät: Die Wildschweinrotte hatte schon die offenen Stadttore überrannt und war bis auf den Marktplatz vorgedrungen, die Waschbären waren sogar über die Stadtmauer gesetzt. Die Menschen waren vor lauter Schrecken auseinander gestoben, und mancher, der sich still und leise in sein Haus verkriechen wollte, musste mit ansehen, wie die Waschbären die vor den Gebäuden liegenden Müllhaufen fledderten und auch in die Gärten vordrangen, um in den Komposthaufen nach Fressbarem zu suchen.

Die Mutigen unter den Menschen gingen zum Marktplatz und warfen mit Pflastersteinen nach den Schwarzkitteln, die es sich rund um den Brunnen gemütlich gemacht hatten. Von den Steinwürfen ließen sie sich nicht beeindrucken, wenn auch mancher Überläufer schnaubend gegen die Steinewerfer drohte. Überall auf dem Weg vom Stadttor zum Marktplatz waren Fuhrwerke gegeneinander gefallen, Stände umgeworfen worden. Alles lief, rannte hierhin, dorthin.

So kam auch der Köhlerssohn bis auf den Marktplatz, wobei er geschickt den umher fliegenden Steinen ausweichen musste. Der eine oder andere Wurf hatte wohl auch ihm gegolten. Keiner der Menschen hörte mit Werfen auf, als er über den Markplatz „Halt!" rief. Doch der Leitkeiler merkte auf und trottete dem jungen Mann entgegen. Er stupste ihn mit der Schnauze und bedeutete ihm, mitten in der Rotte Schutz zu suchen.

Gleich darauf stand der Junge am Brunnen, umringt von den Wildschweinen, Keiler und Überläufer, und unterhielt sich mit ihnen.

Die Menschen hielten dies für Zauberei und suchten vor der Stadtmauer nach Feldsteinen, um ihn damit zu erschlagen. Zwei der jungen, kräftigen Wildschweine jedoch trieben sie in die Flucht.

Der Köhlerssohn erklärte dem Leitkeiler, weswegen er hier war. Nur widerwillig ließ der sich davon überzeugen, den Überfall zu beenden. Doch gegen die mutwilligen Plünderungen der Waschbären könne er nichts unternehmen, die ließen sich von niemandem etwas sagen. So verlangte der Junge, den Stadtschulten zu sprechen. Er rief ihn über den Marktplatz hinweg, in der Überzeugung, dass der ihn, anlässlich dieses Zwischenfalls, längst gehört und gesehen habe.

***

Indes hatte die Wasserelfe mit den Waldtieren gesprochen. Die Bären und Füchse wollten sich so lange zurückhalten, bis der Menschenjunge Verhandlungen aufgenommen habe. Der Luchs dagegen traute dem ganzen Unternehmen nicht, er wollte weiter unsichtbar und unerkannt den Hasen und anderem Getier auflauern.

Mit den Bibern hatte die Wasserelfe verabredet: Sie würden den Galeriewald aus Weiden entlang des Baches fällen und daraus einen Schutzwall zwischen Stadt und Wald errichten. Die Waldtauben flogen als Boten zwischen allen Orten im Wald und am Bach hin und her, an denen Vorbereitungen zur Verteidigung gegen Überfälle seitens der Menschen getroffen wurden.

***

Der Stadtschulte kam nicht selbst, er schickte einen Stellvertreter. Der marschierte in Begleitung dreier Armbrustschützen auf den Marktplatz. Zwei legten auf die Wildschweine an, der dritte zielte auf den Jungen. Der freilich wusste, dass Pfeile gegen die Keiler nichts ausrichten würden, und so verlangte er lautstark nach dem Bürgermeister, wobei er, beide Hände erhoben, den Stellvertreter geflissentlich übersah.

Nach einer Weile klappte im Rathaus im ersten Stock ein Fenster auf, der Stadtschulte ließ sich vernehmen, was der Junge denn eigentlich vorhabe; er habe augenblicklich den Marktplatz zu verlassen, zusammen mit den Bestien. Der Junge fasste nun mehr Zutrauen und bestellte ihm, dass er mitsamt den Wildschweinen ausharren werde, bis der Herr Stadtschulte sich zu ihm begeben möchte. Dann werde man, Aug' in Aug' persönlich verhandeln.

Der Fensterladen klappte zu, alsbald schlich der Schulte, begleitet von zwei weiteren Bogenschützen, zu dem Jungen am Marktplatzbrunnen. Der Junge hieß die Keiler sich niederzusetzen, und er verlangte vom Stadtschulten, dass alle Schützen ihre Waffen senkten.

Alsdann legte er dem Stadtoberhaupt dar, dass die Schwarzkittel den Angriff als Mahnung geführt hätten, damit die Menschen nicht länger in ihren Wohnraum, Wald, Bach und Heide, eindringen sollten. Diese nämlich seien die Wohnorte von Fuchs, Hase, Bär, so wie die Stadt und die Dörfer die Wohnstätte der Menschen sei. Man wolle keinen Krieg. Man wolle friedlich nebeneinander existieren. Ob der Herr Stadtschulte sich darauf verstehen könne?

Woher der Junge denn wisse, was die Tiere wollten, fragte darauf der Stadtschulte nach. Er könne mit den Tieren reden? Sie verstehen, so wie Menschen miteinander reden? Nein, das wäre ja --

„Hexerei!", rief da der Schulte, so dass es alle auf und am Marktplatz hören konnten. „Nehmt ihn fest! Bindet ihn!" Und sofort erschien eine Abteilung der Stadtsoldaten, mit Piken und Heugabeln bewaffnet, um sich zur Not der Wildschweine erwehren zu können, sollten sie eingreifen. Der Junge wurde gefesselt, vor das Rathaus gestellt und dort an den Pranger gebunden. Am nächsten Tage sollte er auf einem Scheiterhaufen, der dazu eigens neben dem Pranger errichtet werden sollte, verbrannt werden.

Die Wildschweine indes, mit den Bräuchen und Entschlüssen der Menschen nicht vertraut, ließen es geschehen. Nur dass sie dem Jungen versprachen Hilfe herbeizuholen und daraufhin durch die Gassen galoppierten und zum Stadttor hinaus jagten, dem Walde zu, um die anderen Tiere und die Elfen zu warnen. Auch zwei Waschbären, die außer Aktenpapieren in den Mülltonnen am Rathaus nichts gefunden hatten, schlossen sich ihnen an, um Bericht zu erstatten.

***

Da war für die Wasserelfe klar, und für die meisten Waldtiere auch, dass der Junge befreit werden müsse. Lediglich die Wildschweine sahen ihre Mission als erfüllt an. Auch einige der Wasserelfen meinten, dass sie die Schicksale von Menschen nichts anginge und sie sich deshalb an die Wasserläufe und Quellen zurückziehen wollten.

Doch die Begleiterin des Köhlerssohnes wandte ein, dass die Menschen sich immer weiter ausbreiteten, mithin auch in den Wald einfielen, viel Holz schlügen, die Bäche gerade richteten, so dass es kein Schwemmland mehr gebe. Kurz: Auch der Lebensraum der Wasserelfen sei von den Menschen bedroht. Nun müsse ihr einziger Verbündete, der Junge der Köhlersfamilie, vor dem Scheiterhaufen gerettet werden.

Da redeten auf einmal alle durcheinander: Luchs, Rotfuchs, Braunbär, Keiler, Waldtaube und Wasserelf. Jeder wollte einen Vorschlag zur Rettung machen oder nochmals seinem Protest Ausdruck verleihen. Schließlich gebot die Wasserelfe dem Durcheinander Einhalt und hieß jeden und jede einzeln vorsprechen. Da hatten ausgerechnet die Waldtauben und der Biber eine Idee. Ein Schwarm Tauben zog als unverdächtige Kundschafter über die Stadt, um zu erfahren, was genau die Städter mit dem Jungen vorhatten. Der musste zusehen, wie ein Holzboden auf dem Marktplatz aufgestellt wurde, mit einem Galgen darauf. Auch Brennholz wurde schon herbeigetragen. Hätte er nur gewusst, wie er das anstellen müsste, hätte er die Adler herbeirufen können, um ihn zu befreien! Doch so ließ er nur den Kopf hängen und bemerkte die nach Krümeln pickenden Tauben erst, als sie ihn ansprachen: „Hab' keine Angst! Hilfe ist unterwegs, wir holen dich hier heraus!"

Dann flogen sie auf, um den Tieren und Elfen zu berichten. Der Biber besprach sich unterdes mit den Wasserelfen.

***

Der nächste Morgen begann mit klarem Himmel, die Sonne erhob sich strahlend vom Horizont, um ihren Lauf entlang der Himmelsbahn zu beginnen. Auf dem Marktplatz band der Büttel den Jungen vom Pranger los und stieß ihn zu dem Podest mit dem Galgen. Da fesselte er ihn an den senkrecht stehenden Pfahl, während Helfer des Büttels Baumscheiben und dicke Äste rings um den Gefangenen aufschichteten. Schon kamen die ersten Bürgersleute herbei geeilt, um dem Schauspiel, das hier bald geboten werden sollte, beizuwohnen. Rasch drangen mehr und mehr Menschen auf den Marktplatz: Kaufleute, Mägde, Kutscher, Waschfrauen und kleine Kinder. Bauern aus den umliegenden Dörfern. Alle wollten ganz vorne dabei sein.

Zuletzt erschienen der Stadtschulte, den Richter und den Priester an seinen Seiten. Landsknechte mit Spießen mussten ihnen den Weg freibahnen. Die drei Honoratioren, alle in schwarze Talare gekleidet, bauten sich vor dem Podest auf. Ohne Vorworte begann der Schulte zu erklären, dass man nun den jungen Burschen öffentlich zur Strafe für die erwiesenen, von ihm begangenen Hexereien dem Feuer anheim stellen werde. Was von dem Richter und von dem Priester mit heftigem Nicken bekräftigt wurde.

Da begann der Himmel sich zu verfinstern. Schwarze Wolken tauchten von Nordwest her auf, eine Reihe nach der anderen. Sie brachten Regen mit, und als der Himmel im Nu unter dem Tintenwolkenscharz verschwunden war, setzte heftiger Regen ein. Kohorten silberner Regenfäden schossen auf den Marktplatz herab, ja auf die gesamte Stadt. Wo immer die dicken Regentropfen aufprallten, platschte und wogte ein Wasserkreis. Und aus jedem sprang ein Wasserelf oder eine Wasserelfe! In allen Regenbogenfarben funkelnd schwirrten sie in die Höhe zurück, nur um von neuem Regen einzufangen und mit dem nächstbesten Silberfaden herabzurutschen.

Bald war der Marktplatz kniehoch überflutet; das Feuer auf dem Scheiterhaufen war noch gar nicht entzündet worden, und jetzt, da es derart nass geworden war, konnte es auch nicht mehr brennen. Nicht nur das, die Biber hatten angefangen den Bach unterhalb der Stadt zu stauen, wozu sie allerhand Baumstämme gefällt, ins Bachbett geworfen und gezogen hatten. Jetzt schwoll auch der Bach inmitten der Stadt an. So waren alle Menschen, die des erwarteten Spektakels wegen zum Marktplatz geströmt waren, dort eingeschlossen. Nicht nur dass: Zugleich besetzten die Wildschweine alle Stadttore und ließen niemanden ein oder aus.

Die ganz vorne stehenden Städter hatten sich auf das Podest geflüchtet und das Brennholz herabgeschoben, um ein wenig Platz für die eigenen Füße zu haben. Allen voran der Richter, der Priester und der Stadtschulte.

Aus einem der dickeren Silberregenfäden sprangen endlich die Wasserelfe und ein weiterer Wasserelf, derjenige, mit dem sie sich unter ihresgleichen oft beriet. Mit strengen Gesichtern bauten beide sich vor dem Schulten und dessen Begleitern auf. Die Elfe zog schweigend eine Muschelschale, die sie als Messerklinge verwendete, und schnitt den Menschenjungen vom Pfahl los. Der sank ihr, halb erleichtert, halb bewusstlos, in die Arme. Ihr Begleiter nahm einen Flakon voll Gewürztranks und flößte dem Jungen davon ein. Da schlug er die Augen auf, erkannte seine Gefährten und wusste, was er zu tun hatte.

„Bürger dieser Stadt!", so wandte er sich an alle Leute auf dem Marktplatz. „Bürger, seht her: Ihr kennt mich, ich bin der Sohn des Köhlers. Auch ihn kennt ihr gut. Die einzigen Künste, die ich beherrsche, sind das Kohlemachen und ich kann mit den Tieren reden. Deshalb bin ich mit meinen Mitstreitern zu euch gekommen! Die Tiere wollen friedlich mit euch Menschen leben. An ihrem Platz, das ist im Wald, am Bach, auf der Wiese. Ihr habt Euren Platz, das ist die Stadt. Die Tiere und die Elfen möchten gerne in Frieden mit euch leben. Doch das geht nicht, wenn ihr Menschen immer wieder in ihre Heimstatt eindringt. Ihr geht in den Wald und fällt Bäume. Zum Häuserbauen, ja. Und auch, um ein Schafott zu bauen. Ihr geht an den Bach und spült eure gegerbten Fälle, all' das Zeug, das eure Hände schrumpelig macht und die Haut wegäzt, fließt zu den Schwanennestern und die Jungen ersticken daran! Das muss aufhören! Darum sind wir hier und wollen mit euch reden!"

Die drei Honoratioren der Stadt hatten hierzu bislang geschwiegen. Doch nun erhob der Priester seine Stimme: „Und doch hat es mit Hexerei zu tun, denn wer kann schon zu den Tieren sprechen, wenn nicht der Teufel?!" - „Der Tierarzt", entgegnete ihm ein Bauer, der das mitangehört hatte. - „Und wir Jäger!", rief der Jäger. Da schwieg der Priester. Noch immer schauerte es, die Soutane klebte ihm am Leib und er fror. - „Auch wir Köhler müssen die Sprache der Tiere verstehen. Und die der Pflanzen", murmelte der Köhler. Er war eigens in die Stadt gekommen, um Holzkohle zu verkaufen, und hatte nimmer daran gedacht, ausgerechnet hier und jetzt seinen Sohn zu treffen, dazu noch in dieser Situation. Es war ihm nicht gelungen, durch die Menschenmasse zum Galgen vorzudringen, und so musste er dem Geschehen, das sein Herz ergriff, von hinten zuschauen.

Der Junge stimmte sich mit Blicken mit den Elfen ab und sprach: „Ihr wisst jetzt, dass wir keine Hexer sind. Dass Tiere und Wesen leben wollen, dass die Menschen leben wollen. Wir werden jetzt gehen. Die Flut bei euch wird zurück gehen. Doch morgen werden wir wieder kommen. Dann werden wir von eurem Stadtschulten hören, ob ihr willens seid, die Tiere und Fabelwesen im Wald und am Wasser in Frieden zu lassen!"

Mit diesen Worten stiegen er und die Elfen vom Podest und bahnten sich ungehindert ihren Weg über den Marktplatz, die

Menschen wichen für sie beiseite. Auch der Vater des Jungen hatte es nun für klüger gehalten, sich von ihm fernzuhalten, wollte er nicht allen Zorn seiner Kunden auf sich lenken. So gelangen der Junge und die Elfen weiter durch die Straße zum Stadttor, wo der Hauptkeiler iher schon harrte. Unbehelligt kehrten sie in den Wald zurück.

***

Und daher bekamen sie nichts mit von dem Streit, der unter den Bürgern der Stadt ausgebrochen war. Auch die drei Honoratioren haderten einerseits miteinander und auch mit den Städtern.

Und daher bekamen am andern Morgen der Junge und seine Begleiter, die Wasserelfe und der Wasserelf, nur ein „Sowohl-als auch" vom Stadtschulten zu hören. Einerseits wolle man mit den Tieren in Frieden leben, anderseits bräuchten die vielen Menschen Platz für ihren Handel und Wandel, auch außerhalb der Stadt- mauern. Einerseits wollten sie weder den Tieren nachstellen noch die Pflanzen ausrotten, andererseits müssten sie alle Resourcen nutzen, um sich zu verwirklichen. Daher sei es doch geboten, alles Mögliche möglich zu machen. Kurz: Man habe den Tieren keinen Plan zur Koexistenz anzubieten und hoffe, sie zögen sich zurück in ihr Habitat. Andernfalls wisse man in der Stadt sich sehr wohl zu verteidigen.

Ob dieser frechen, sorglosen Antwort wollte der Junge schon wütend werden, allein die Hand der Elfe, die er auf einmal auf seiner Schulter spürte, hielt ihn davon ab, etwas Unbedachtes zu sagen oder zu tun. Wortlos strebten sie wieder dem Stadttor zu, um ihr Lager am Bach im Wald aufzusuchen. Im Torbogen trat ihnen der Vater entgegen. Nach kurzem Zögern umarmten sie einander, die Elfen verstanden das und ließen sie in Ruhe. Dann drang der Junge seinen Vater mitzukommen zu ihrem Lager. Auf dem Weg dorthin erklärte er dem alten Köhler, wie alles gekommen war, was er seit seinem Weggang erlebt hatte. Davon nun war der Vater derart überwältigt, dass er vor lauter Staunen ganz vergaß, den Jungen wegen seiner Flucht zu maßregeln.

Als er dann das Lager erblickte, sah er sich alles ganz genau an und sprach auch mit dem Rotfuchs, dem Braunbären und mit dem Hauptkeiler. Dann war er überzeugt: Menschen, Tiere und Fabelwesen müssen zusammenhalten.

Und nun berieten sie gemeinsam, was sie nun tun sollten. Der Köhlervater hatte einen Vorschlag zu machen: Ihm sei bewusst, dass Tiere, Elfen, Bäume und Blumen und die Menschen ihren eigenen Platz brauchen. Nun sei es so, dass die Menschen für alle ihre Arbeiten Kraft bräuchten: die Kraft des Wassers für die Mühle, um Korn zu mahlen, die Kraft der Kohle, um den Backofen fürs Brot zu heizen. Oder um den Ofen des Schmieds in Gang zu setzen. Diese Kohle liefere er den Menschen in der Stadt. Doch wenn sie nicht auf die Tiere und Fabelwesen hören wollten, so werde er ihnen künftig keine Kohle mehr verkaufen. Dann werde er eine andere Stadt mit seiner Kohle beliefern. Das müssten diese Städter eigentlich einsehen.

***

Mit dieser Botschschaft gingen die beiden Köhler am nächsten Morgen in Begleitung der Wasserelfe und des Wasserelfen erneut in die Stadt und ließen sie dem Schulten über dessen Stellvertreter ausrichten. Zur Bekräftigung ging ein kräftiges Gewitter auf die Stadt und das Land ringsum nieder. Der Blitz schlug in den Kirchturm ein, so dass der vergoldete Hahn davon verbogen wurde. Der Blitz schlug ins Rathaus ein, dessen Reetdach sofort Feuer fing. Doch der heftige Regen löschte es zugleich, übrig blieb ein großes Loch im Dach. Der Schauer dauerte drei Tage lang an, und am Ende standen alle Straßen, Gassen und Häuser unter Wasser. Auch die Vorratshäuser, die nicht auf Pfählen errichtet waren.

Da erst machte sich eine Gesandschaft aus Schulte, Richter und Jäger auf in das Waldlager und bot an, um des lieben Friedens willen diesen Wald und diesen Bach ab sofort nicht mehr zu betreten und auch nicht zu bebauen, wenn nur dieser entsetzliche Regen aufhörte und der Köhler sie weiterhin mit der notwendigen Holzkohle belieferte!

Vater und Sohn Köhler übersetzen dies den Tieren, und damit waren schließlich alle einverstanden. Bis auf den Luchs, der sich aus der ganzen Affaire herausgehalten und im dichten Gehölz sich auf die Lauer auf Beute gelegt hatte.

So zog die städtische Delegation zufrieden ab, man war froh, den kalten und dunklen Wald zu verlassen.

Der Vater fragte den Sohn, ob er sich wieder dem Köhlergeschäft anschließen wolle, schließlich werde jede Hand gebraucht. Er habe doch nichts verlernt? Und dass er die Sprachen der Tiere beherrsche, habe er obendrein verstanden.

Der Junge allerdings konnte sich nicht sogleich entscheiden, ob er wieder dem Vater folgen wolle, er dachte an die Wasserelfe. Die war ihm inzwischen ans Herz gewachsen. So frug er sie, ob sie nicht mit ihnen komme wolle. Das verstand die Elfe nicht: „Ich komme immer ans Wasser. Und ans Wasser kommst auch du bei deiner Arbeit. Wir sehen uns jeden Tag!" - Traurig wandt sich da der Junge: „Nein, ich möchte, dass du ganz zu mir kommst. Als meine Frau!" - Da schüttelte die Elfe den Kopf und antwortete betrübt: „Das kann ich nie und nimmer! Ich kann zwar aussehen wie eine Menschenfrau, doch kann ich nie eine werden. Was du begehrst, ist ganz unmöglich." - „Dann - will ich bei dir bleiben!", rief da der Junge aus.

Das hörte der Wasserelf, dachte sich sein Teil und erklärte dem Menschen: „Meine Tochter hat recht, eine Verwandlung in Mensch oder Elf ist unmöglich. Doch sie kann, wie wir Elfen alle, für eine bestimmte Zeit an Land leben und muss dann zurück in die Fluten. Umgekehrt kannst du, als Mensch, eine gewisse Zeit im Wasser sein. Wir werden dir Schwimmen und Tauchen beibringen, dann könnt ihr euch gegenseitig besuchen. Meine Tochter wird so deine Welt besser kennenlernen, und du siehst, wie wir im Wasser und unter Wasser leben. An mehr ist nicht zu denken."

Da war der Köhlerssohn erleichtert, bedankte sich überschwänglich beim Elfenvater, gab seiner Elfe einen Kuss auf die Wange und machte sich dann daran sich von den Tieren des Waldes zu verabschieden: man werde sich künftig öfters beim Kohlenmeiler sehen. Dann endlich sagte er seinem eigenen Vater zu, er packte seine Siebensachen und zog mit ihm zur Köhlershütte.

Das waren die Abenteuer des Urgroßvaters, als er noch ein Junge war. Was er in der Welt der Wasserelfen erlebte und wie er und seine Wasserelfe einander liebgewannen, das ist ein anderes Märchen!

DER KLEINE HOFNARR
UND DIE DREI GOLDENEN KUGELN

I

Eines Tages fand der kleine Hofnarr drei goldene Kugeln auf dem Boden liegen. Die Prinzessin musste sie verloren haben. Warum, das wusste er nicht und wollte es auch nicht herausfinden. Immerhin erinnerte er sich daran, dass die Prinzessin manchmal mit diesen goldenen Kugeln spielte, ja, sie der Reihe nach in die Luft warf und nacheinander wieder auffing. Heimlich, denn das wusste jeder am Hofe: Davon durfte der König niemals etwas erfahren. Warum, das wusste bei Hofe allerdings niemand.

Er sah sich verstohlen um - niemand in Sicht - gut! Blitzschnell hob er die Goldbälle auf und versuchte seinerseits, sie in die Luft zu werfen und aufzufangen. Oh weh, das ging gar nicht gut! Klick-klack-kling fielen sie alle der Reihe nach auf den Boden und rollten, hast du nicht gesehen, davon. Eine kullerte sogar die Treppe zum Speisesaal herunter. Nun krabbelte der kleine Hofnarr auf allen Vieren, um die zwei goldenen Kugeln, die nicht die Treppe herunter geplumpst waren, aufzuklauben. Die dritte Kugel dagegen hatte er schon vergessen.

Was auch kein Wunder war, denn er war ja schließlich eine Stoffpuppe, die die Prinzessin zu ihrem vierten Geburtstag geschenkt bekommen hatte. Und jetzt war sie immerhin schon sieben.

Eigentlich würde er gerne die Prinzessin bitten ihm beizubringen, wie er die Kugeln werfen müsse, um sie wiederaufzufangen und erneut in die Luft zu schleudern. Doch das traute er sich nicht. Wer weiß, was sie mit ihm anstellen würde, erführe sie, dass er ihr Lieblingsspielzeug angefasst hatte.

Die Angst brauchte er aber gar nicht zu haben, denn als sie ihn da traurig am Boden sitzen fand, jauchzte sie entzückt auf: „Oh, du hast sie gefunden! Du hast sie für mich gefunden!" Vor Freude strahlend half sie dem Hofnarren auf und gab ihm zum Dank einen dicken Kuss auf die Wange.

Sie erriet, was der Hofnarr von ihr wollte, daher setzte sie ihn am Treppenabgang ab, damit er sie beim Jonglieren - so nannte sie das Werfen und Fangen mit den goldenen Kugeln - beobachten sollte. Und sie nahm die zwei Kugeln in die linke Hand - auch sie hatte vergessen, dass es dreie hätten sein sollen - und warf eine nach der anderen in hohem Bogen in die Luft, so dass sie sie mit ihrer Rechten fangen und in die linke Hand zurückgeben konnte. Auf - ab - nach links - auf - ab, so ging das in einem fort. Dabei spazierte die Prinzessin den ganzen Flur entlang, ohne eine Kugel dabei zu verlieren.

Der Hofnarr staunte, denn diese Kunst würde er selbst gerne beherrschen. Die Prinzessin jauchzte fröhlich auf: „Ja, ich kann es noch! Ich kann es doch!" Plötzlich hielt sie inne und fing die zwei Kugeln auf. „Ach!", seufzte sie, wie aus heiterem Himmel betrübt. „Wenn das mein Papa erführe! Der König darf gar nicht wissen, dass ich das Spiel mit den goldenen Kugeln beherrsche."

Dann erst fiel ihr auf, dass eine fehlte. „Hast du sie verloren?", blickte sie erschrocken den Hofnarren an. Der senkte betrübt seinen Kopf, so dass alle drei Zipfel nach vorne fielen und mit ihren Schellen klimperten. Daraufhin erklärte die Prinzessin mit Bestimmtheit, dass sie nun Ärger mit ihrem königlichen Vater bekommen werde. Damit steckte sie die verbliebenen zwei Kugeln ein und wartete auf eine Gelegenheit, sie unbemerkt in das Arbeitszimmer ihres königlichen Vaters zurück zu legen.

Doch da hatte bereits eines der Kammermädchen die dritte Goldkugel gefunden, sie der Gouvernante übergeben, und diese hatte dem König Bericht erstattet. Daraufhin wurde der König zornig und schalt die kleine Prinzessin aus; nicht weil sie eine der Kugeln verloren hatte, sondern weil sie sie ihm entwendet und heimlich damit gespielt hatte. Doch warum niemand diese drei Kugeln aus Gold anrühren durfte, erklärte er ihr nicht, und das reizte sie nur noch mehr, sie immer wieder heimlich zu nehmen und damit Werfen und Fangen zu spielen - „Jonglieren", wie es der kleine Hofnarr nannte, denn er selbst wollte zu gerne ein Jongleur werden.

II

So vergingen die Jahre, in denen die kleine Prinzessin heimlich eine hervorragende „Jongleuse" wurde, ihr kleiner Hofnarr dagegen immer wieder das Pech hatte, die Kugeln fallen zu lassen, so dass sie in die hintersten Winkel kullerten. Und nur einem neuen Stubenmädchen, das Verständnis für das Spiel der Prinzessin hatte, war es zu verdanken, dass alle verloren gerollten Kugeln wieder ans Tageslicht zurückkehrten, und zwar in die Hand der kleinen Prinzessin. Dafür kroch das Stubenmädchen unter die Chaiselongue, rückte den Kleiderschrank ab und suchte sogar in der Speisekammer nach, die im Keller untergebracht war.

Daher erfuhr der König von diesem heimlichen Treiben seiner Tochter nichts. Nur die Königin hatte ein paar Mal das Treiben der Prinzessin und des Personals beobachtet und schwieg dazu. Und einige Male bat sie die Prinzessin, die ausgeliehenen Kugeln still und leise zurückzubringen. Doch warum der König sie nicht einmal seiner Tochter, seiner einzigen, aushändigen mochte, auch dazu schwieg die Königin.

Wie also konnte die Prinzessin ihren Vater, den König, dazu bringen, ihr diese drei goldenen Kugeln anzuvertrauen, dass sie und ihr Spielgefährte, die kleine Narrenkappe, damit jonglierten?

***

So vergingen die Jahre der Prinzessin, in denen sie lernte, sich bei Hofe zu benehmen, wie sie beim Hofball auftreten solle und wie sie mit den Botschaftern aus anderer Herren Länder in deren Muttersprache Konversation zu treiben habe. Denn es kamen etliche Besucher aus fernen und nahen Landen, die mit dem König oder seinem Marschall oder seinem General etwas zu besprechen hatten. Da war die Prinzessin immer zugegen, um mit den Gesandten zu parlieren und um zwischen ihnen und ihrem eigenen Hofstaat zu dolmetschen.

Doch immer wieder fand sie zwischendurch Luft und Zeit für einen Gang durch die stillen Korridore und Treppenhäuser des Schlosses, die bald in diesen Flügel führten, bald in jenes Verlies und manchmal auch in einen blinden Gang mündeten, hinter dem nur der Felsen des Sockels wartete, auf dem die Burg errichtet war, oder eine Sommerbrise in der Belletage.

Und immer wieder nahm sie sich die drei verbotenen goldenen Kugeln, um mit ihnen zu spielen. Ab und zu nahm sie ihren Hofnarren mit, der inzwischen einer abgeliebten, seltsam verformten Stoffpuppe ähnelte. Doch das Jonglieren wollte ihm in all den Jahren noch immer nicht gut gelingen. Und wenn ihm oder der Prinzessin eine Kugel entglitt und unter irgendein schweres Möbel kullerte oder sogar eine Treppe hinab polterte, hofften sie beide, dass ihr treues Kammermädchen ihnen schon aushelfen werde.

III

Eines Abends, die Prinzessin hatte sich schon schlafen gelegt, da kroch die Hofnarrenpuppe auf ihre Bettdecke und bettelte erneut, sie möge ihn in der Kunst des Jonglierens unterweisen. Er werde auch ein aufmerksamer und gelehriger Scholar sein. Doch sie war den kleinen Kerl langsam leid, war er doch ihr Begleiter seit Kindesbeinen an, und jetzt zählte sie bereits fünfzehn Lenze! Doch sie willigte ein, da der Hofnarr doch sonst niemals Ruhe gäbe. Sie schlug die Bettdecke zurück, zog sich ihre Samtpantinen an die Füße und schlich mit dem kleinen Hofnarren hinaus auf den Flur.

Sobald sie die Goldkugeln aus einer Vitrine stibitzt hatte, die im Arbeitszimmer ihres Vaters stand, denn dort hob er sie auf, hüpften sie hinaus in den Kräutergarten, um dort unbeobachtet das Jonglieren zu üben. Zunächst gelang es dem kleinen Narren, mit einer und sogar mit zwei Kugeln gleichzeitig zu jonglieren, sodass die Prinzessin ihm auch die dritte zum Werfen und Fangen gab. Doch damit kam er an seine Grenzen, verlor erst eine und warf dann die anderen vor Schreck hoch in die Luft.

Darob musste die junge Dame gar sehr erschrecken, denn in der nächtlichen Finsternis vermochte weder sie noch der Narr zu erkennen, wohin die Goldbälle abhanden gekommen waren, denn zu ihrem Unglück hatte sie vergessen, eine Lampe mitzunehmen. Sie wollten ja auch nicht gesehen werden! Und hier draußen konnten sie nicht auf die hilfsbereite Kammerdame rechnen. Als sie dessen gewahr wurde, da packte die Prinzessin eine Wut, sie vergaß all ihren Anstand und versetzte dem Narren einen kräftigen Schubs, so dass er vor Verblüffung hintenüber fiel.

Wutschnaubend wandte sie sich, um sich in ihre Kemenate zurück zu begeben, mit dem festen Vorsatz, noch vor Morgengrauen das Kammermädchen zu bitten, beim Gärtner ein gutes Wort für sie einzulegen.

Am anderen Morgen gelang es ihr zwar, das Kammermädchen um ihre Unterstützung zu bitten, doch ließ ebenso in der Frühe der König sie zur Audienz bitten. Voller böser Vorahnungen schlich die Prinzessin daher zum Arbeitszimmer ihres königlichen Vaters. Nachdem sie zaghaft an die Doppel-Flügeltür geklopft und von innen schwach ein „Herein" vernommen hatte, war sie eingetreten. Sie sah, wie ihr Vater, ganz in Gedanken, um den Chippendale-Tisch auf dem runden Teppich vor dem Schreibtisch im Kreis herum ging und dabei: „Ah ja" und „so, so" vor sich hin murmelte. Auch winkte er ihr geistesabwesend, sie möge doch bitte an dem Chippendale Platz nehmen, was sie zwar tat, dann aber ängstlich den König betrachtete und sich fragte, ob er wirklich das

Verschwinden der drei goldenen Kugeln - also ihr Entwenden derselben - bemerkt habe.

Endlich blieb der König von seinen Überlegungen stehen und kam zu ihr an den Tisch. „Ah ja, ah ja", murmelte er. Damit blieb er an ihrer Seite stehen. „Große Dinge kündigen sich an", hub er dann an zu sprechen. „Wie du wohl weißt, wirst du bald Gelegenheit haben, dich noch mehr den Freunden unseres Hofstaates, ja unseres Landes, zu präsentieren. Denn ich werde im Sommer das fünfzigste Jubiläum meiner Thronbesteigung feiern. Zu diesem Anlass werden zahlreiche Gäste von nah und fern erwartet, die vorzüglichsten Speisen und Getränke werden ihnen kredenzt werden. Außerdem soll ihnen allerlei unvergessliche und außergewöhnliche Kurzweil dargeboten werden. Hast du, meine allerbeste und allerliebenswürdigste Tochter, vielleicht eine Idee hierzu?"

Die Prinzessin hielt überrascht die Luft an. „Woran denkst du denn, mein königlicher Papa?", fragte sie zurück, wobei sie ihr süßestes Ich-war-es-nicht-Lächeln aufsetzte. Alles, nur jetzt nicht die Kugeln! „Gesang, Tanz, Theater, Feuerwerk, so etwas", entgegnete der König. „Ich verstehe davon nichts, aber ihr jungen Leute habt einen leichteren Zugang zu derlei Künsten." - Hierauf verstand die Prinzessin, dass ihr König und Vater zerstreut war und noch gar nicht bemerkt hatte, dass seine drei goldenen Kugeln verschwunden waren. - „Nun, ah ja", suchte sie erleichtert nach Worten, „Kurzweil also, behufs dessen will ich mich gerne mit meinen Kammerjungfern und mit dem Spielmeister beraten." Eifrig nickte sie und wartete auf einen guten Einfall, den sie dem väterlichen König auf der Stelle schmackhaft machen wollte.

Doch der kam seiner Tochter zuvor. „Nun gut, abgemacht", schloss er. „Alles sei erlaubt, bis auf eins. Keine goldenen Kugeln, kein... wie heißt das gleich? Kein Jonglieren. Hörst du? Gib gut acht."

Da nun erschrak die Prinzessin sehr, doch fasste sie sich schnell ein Herz. Mit wegwerfender Handbewegung meinte sie: „Wie immer, schon verstanden. Doch bitte, allerliebster königlicher Vater, warum? Erkläre mir doch bitte, was du gegen diese Goldkugeln hast." - „Das ist, ähm, das kommt gar nicht...", erwiderte der königliche Vater fassungslos. Doch er fasste sich sofort: „Nun gut, ich sehe, du hast als meine Älteste und Einzige ein Anrecht darauf, das Geheimnis der drei goldenen Kugeln zu erfahren." - Er blickte auf und ließ seinen Blick durch das Zimmer wandern. „Ach! Wo sind sie denn überhaupt?" Mit einem Sprung hechtete er zur Vitrine, starrte darauf, umrundete sie, einmal, zweimal. „Ich kann sie nirgends sehen!", stieß er hervor in einem Tonfall, der klang, als sei ihm ein allerliebstes Spielzeug entzwei gegangen.

Da blieb der Prinzessin erneut das Herz stehen. Sollte sie ihm beichten, die Kugeln heimlich genommen zu haben, um damit zu spielen, um damit zu *jonglieren*? Das bräche ihrem Vater das Herz. Nur eine Notlüge fiel ihr da gerade ein: „Sie werden anlässlich des bevorstehenden Thronjubiläums beim Goldschmied sein, dass er sie poliere. Du wirst sie ganz bestimmt zu diesem Behufe dem Gold-schmied anvertraut haben?" - Doch daran konnte der König sich nicht erinnern. Er hegte jetzt sogar den Verdacht, seine Tochter könnte seinen Schatz genommen haben. Deshalb befahl er ihr: „Wo immer sie sind, bringe sie mir wieder her, mein Kind!"

IV

In der folgenden Nacht konnte die Prinzessin nicht schlafen. Sie hatte die beim nächtlichen Spiele verlorenen Goldbälle noch nicht wieder! Und ihr Papa argwöhnte, dass sie sie ihm entwendet habe, was ja auch stimmte! Wie um sich daran festzuhalten, nahm sie ihre kleine Narrenpuppe ganz fest in den Arm. Dann löschte sie die Kerze.

Ein Sturm hatte eingesetzt, die Böen heulten um das Schloss, irgendwo klapperten Fensterläden. Dunkle Wolken jagten einander vor der halb abnehmenden Mondscheibe, so dass Mondlicht und Finsternis in der Prinzessinnen-Kemenate einander abwechselten. Da spürte die junge Dame, dass etwas auf ihrer Bettdecke entlang kroch. Der kleine Hofnarr krabbelte zu ihrem Kissen und heulte und jammerte, er fürchte sich so sehr, bestimmt gebe es gleich ein Gewitter, vor dem er sich immer so heftig erschrecke.

Bislang hatte sich die kleine Prinzessin dann immer den Stoff- und Filznarren geschnappt und ihn sich wie ein Baby in den Arm gelegt, als ob sie es - oder ihn - in den Schlaf wiegen wollte. Doch die Prinzessin war nicht mehr eine Kleine. Mit ihren fünfzehn Lenzen war sie schon eine große Prinzessin, die bereits mit Gesandten aus fernen exotischen Ländern zu parlieren und dinieren wusste, und außerdem hatte sie beim Hauslehrer Arithmetik. Und außerdem kam sie sich für diese Unterhaltung zu erwachsen vor, sie fühlte, wie in der Nacht zuvor, erneut Wut über die Narrenfigur in sich aufsteigen, daher brachte sie es fertig,

sich im Bette aufzurichten, die Narrenpuppe mit ihrer Linken fest zu ergreifen und mit einem: „Nein!" zu rütteln und zu schütteln und schließlich gegen die Tür zu schleudern. Doch was

geschah da? Sie hörte einen Knall, sah glitzernden Feenstaub nach allen Seiten sprühen, es blitzte einmal grell auf, dann wurde alles dunkel, und das Wechseln der Wolken von Schatten und Mondlicht gespensterte weiterhin durch ihre Kemenatenfenster.

Die Prinzessin legte sich hin, um nochmals zu versuchen einzu-schlafen, da hörte sie ein leises Rascheln und ein feines Klingeln wie von gläsernen Glöckchen. Starr vor Schreck, was nun wieder geschehen mochte, blieb sie auf der rechten Seite liegen.

Dann hörte sie eine Stimme sprechen. Sie vernahm die Stimme, die von einem erwachsenen Manne herrühren mochte. „Prinzessin!

Meine Liebe!" Immer noch lag sie starr vor Schreck und versuchte zu überlegen, was ihr da gerade widerfahre und wie sie sich dagegen wehren solle. Da sprach die Stimme nochmals, diesmal näher: „Prinzessin! Meine Liebe! Meine große Liebe!"

Da richtete sie sich gerade auf, um herauszufinden, wer oder was da zu ihr spreche.

Da sah sie einen jungen Mann an ihrem Bette stehen, nur seine Silhouette vermochte sie zu erkennen. Er war lang, schlank, doch mit starken Schultern. Das Haar schulterlang. Auf dem Kopf eine dreizipflige Narrenkappe mit Schellen daran. Noch immer brachte die Prinzessin kein Wort heraus. Der Mann nahm nunmehr die Kappe ab und legte sie am Fußende ihres Bettes ab, um sich am Bettrand hinzusetzen. „Meine geliebte Prinzessin! Erkennst du mich nicht?", fragte er sie.

Da sprang die Prinzessin aus dem Bett, zögerte kurz, ob sie nach Hilfe rufen sollte, und zündete die Kerze an, die auf ihrem Nacht-tisch stand. Da blickte sie in das schönste Gesicht, das sie je an einem Menschen gesehen hatte: Freundliche Augen lächelten sie an, ein schmaler halb geöffneter Mund entblößte eine Reihe gerader Zähne, dazu eine schmale gerade, nicht allzu lange Nase. Auf den Wangen leichte Schatten, die sie auf einen erst kürzlich gewachs-enen Bart schließen ließen. Er mochte vielleicht siebzehn, vielleicht zwanzig Jahre zählen.

„Wer sind Sie?", fragte sie drohend. Der Mann lächelte sie an und da erkannte sie ihn. „Du!!", schrie sie erstaunt auf. „Du bist das?! Mit dir war ich letzte Nacht im Garten?!" - Der junge Mann lächelte: „Wollen wir heute Nacht wieder dorthin? - Ach nein, es ist zu ungemütlich. - Darf ich... Lässt du mich in deinem Bett schlafen? Nur heute Nacht?"

Noch voller Erschrecken und widerwillig machte die junge Dame dem jungen Mann Platz in ihrem Bett. „Aber nur heute Nacht", erklärte sie. Zugleich wendete sie ihm den Rücken zu.

„Bist du jetzt immer... ein Mann?", fragte sie, neugierig und schläfrig zugleich. - „Oh ja", erwiderte er mit seiner festen freundlichen Stimme, die ihr von Anfang an so gut gefiel. - „Ich meine, das Sichverwandeln von einem Stoffnarren in einen Menschen, klappt das auch andersherum?" - „Von einem Narren in den anderen, meinst du?", lachte er. „Ich weiß es nicht, das müsste ich ausprobieren. Doch nicht jetzt."

Jetzt hatte die Prinzessin Zutrauen gefasst zu dem freundlichen Hofnarren, der auf einmal lebendig geworden war und das in Mannesgröße. Da drehte sie sich zu ihm um und nahm ihn in den Arm. So schliefen sie beide ein.

V

Am kommenden Tage hatte sich die Prinzessin schon an ihren Begleiter gewöhnt, und so saßen sie zum Nachmittagstee beisammen im Salon. Die Küchenmamsell hatte Jasmintee, Rum und Biscuits serviert. Auch die Frau Königin kam herein, um den - in ihren Augen - neuen Gast zu begrüßen. Das war bestimmt ein weiterer Diplomat, allerdings in reichlich merkwürdigem Anzug. Ihre Tochter schlug die Augen nieder, und dies deutete die Königin so, dass hier mehr vorging als außenpolitische Diplomatie. Die Königin runzelte die Stirn und fragte den vermeintlichen Gesandten, ob sie einander schon vorgestellt worden seien; es sei ihr, sie erinnere sich seiner, wisse nur gerade nicht, wo und wann das gewesen sein könnte. Der junge Mann gab nur sein Lächeln zur Antwort, das Lächeln, das die Prinzessin inzwischen als so angenehm und belebend empfand. Daraufhin ließ die Frau Königin beide allein.

„Das war die Frau Mama", erklärte die Prinzessin, „aber das hast du dir sicher schon gedacht. Die Audienz beim Herrn König war leider nicht so schön. Er hat nämlich gemerkt, dass die goldenen Kugeln aus seiner Vitrine, in der er sie aufhebt, verschwunden sind, und er hat mich in Verdacht, ich soll sie ihm wieder bringen! Ich weiß auch gar nicht, wie, hab' ich ihm doch vorgeflunkert, sie wären beim Goldschmied zum Polieren. Was mache ich jetzt nur?", schluchzte sie.

Da zog der lebendige Hofnarr ein Taschentuch aus seiner ge- streiften Jacke und trocknete ihr damit die Tränen ab. „Du brauchst keine Angst zu haben", tröstete er die Königstochter. „Wenn die Kugeln zum Goldschmied sollen, dann werden wir sie zum Gold- schmied bringen."

Das war nun leichter gesagt als getan, denn die entwendeten Spiel- bälle mussten immer noch im Kräutergarten liegen. Der Narr entbot sich, selbst nach ihnen zu suchen. Damit war's die Prinzessin zufrieden, ihr Herz war durch das Sprechen und die Zuwendung ihres Narren beruhigt. Daher trug sie dem jungen Manne ihr zweites Anliegen vor, das nämlich der König sie um eine ganz besondere Kurzweil für das Thronjubiläumsfest gebeten hatte.

Der lebendige Hofnarr dachte gar nicht lange nach, er griff sich eine Handvoll Biscuits und begann damit zu jonglieren. Diesmal gelang es ihm ausgesprochen gut, die Reihe der Gebäckstücke in die Luft zu werfen und wieder aufzufangen. Erst als die Prinzessin, ganz entzückt ob dieses Erfolges, in die Hände klatschte, gewann seine eigene Aufgeregtheit erneut Oberhand, und die Biscuits fielen herab, manche kullerten vom Teetischchen und eines landete sogar in seiner Teetasse. „Ich hab's!", sprach er trotz dieses Missgeschicks. „Wir spielen ,Reise nach Jerusalem', und wenn die Musik aussetzt, dann müssen sich alle hinfallen lassen und am Boden hin und her rollen!" -

Die Prinzessin konnte ein glucksendes Lachen kaum unterdrücken: „Wenn du das vorschlägst, wird mein väterlicher König dich schnappen und dich in der Luft umherwirbeln!" Da musste der lebendige Hofnarr zustimmen. Da kam der Prinzessin eine rettende Idee: „Als erstes lassen wir die Notlüge vom Goldschmied wahr werden und bringen die Kugeln zu ihm, damit er sie tatsächlich poliere. Aber halt, erst müssen wir sie wiederfinden! Hat das Kammermädchen sie vielleicht schon gefunden? Ich muss sie fragen!" Sie sprang auf.

Doch das Kammermädchen hatte die verlorenen Kugeln diesmal nicht ausfindig machen können, und so bot sich der junge Hofnarr selbst an, im Kräutergarten danach zu suchen. Da musste er mit einer Elster streiten, die eines der blitzenden Kleinode bereits zu ihrem Nest geschafft hatte. Er war dem Gerätsche des Vogels gefolgt und auf die Birke gestiegen. Er fand die Kugel in einer Astgabel neben dem Nest eingeklemmt. Bei dem Versuch, sie heraus zu ziehen, wäre er beinahe abgestürzt. Als gar die Elster mit Zweigen im Schnabel heranflog, um ihr Nest auszubauen, hackte sie nach Hand und Gesicht des Narren. Da musste der Hofnarr alle seine Eloquenz aufbieten, damit die Elster ihm die Goldkugel überließ, die ihr ja auch nicht gehörte. Sorgfältig nahm der Narr seine Kappe ab, legte die Kugel hinein und setzte sich beides auf den Kopf.

Das Herabsteigen erwies sich als ein schwieriges Unterfangen, konnte er doch ob der schweren Last nicht den Kopf neigen, um zu sehen, wohin er seine Füße setzen müsse und wie weit der Boden noch entfernt liege. Endlich konnte er abspringen, doch verlor er, kaum dass seine Füße das Gras zu Füßen der Baumwurzeln berührten, das Gleichgewicht, so dass er nur durch einen Purzelbaum verhindern konnte hinzufallen. Dabei rutschten ihm Kappe und Kugel vom Kopf, was die Elter droben in der Krone zu schallendem Gelächter veranlasste, und eine Krähe stürzte herbei, die das goldglitzernde Etwas genauer betrachten wollte. Der Narr versuchte, sie mit dem Schwenken seiner Kappe zu verscheuchen. Doch da hatte er nicht mit den anderen Krähen gerechnet, die nun über ihn herfielen und ihn umkreisten und sich dabei zuriefen: „Nehmt's ihm, nehmt's ihm! Gebt's ihm, gebt's ihm!", worunter sie verstanden, dass sie dem armen Narren das Gold nehmen und ihm Schnabelhiebe in den Allerwertesten geben wollten.

Das Spektakel hatte den Gärtner angelockt, und der durfte die goldene Kugel nicht bemerken! Dem Narren war es gelungen, sie zu schnappen und sich draufzusetzen. Er bat den Gärtner, die Prinzessin zu holen. Während er auf die junge Dame wartete, trieben die Krähen ihr Spiel mit ihm fort, angefeuert von der Elster aus der Baumkrone.

Als die Prinzessin endlich, in einer Pause zwischen zwei diplomatischen Gesprächen, herangeeilt kam, da setzte sie den Rabenvögeln auseinander, dass sie ihnen keine Gelegenheit biete zum Schabernackspielen. Sie erklärte ihnen den Ernst der Lage. Und zwar so ernsthaft, dass zwei Krähen gingen und die zweite Kugel aus einem Versteck unterm Hollerbusch hervorzogen; sie hatten damit Fußball gespielt. Auch die dritte und letzte Kugel wurde gefunden, die Prinzessin griff sie aus den Brennnesseln heraus.

Nun erklärte sich die Elster bereit, alle drei Kugeln zum Goldschmied in der Schlossstadt zu bringen. Und eine Krähe brach auf, um die Gilde der Krächzenden Raben aufzusuchen; ihnen übermittelte sie den Auftrag der Prinzessin, zum Thronjubiläums zu erscheinen und ihre allseits berühmte Tanzmusik zum Besten zu bieten.

Der König strahlte vor Freude, als der Goldschmied ihm die Kugeln an den Hof schickte. Frisch poliert, bar jedes menschlichen Fingerabdrucks oder vogeliger Kratzspuren. Er staunte nicht schlecht über die beiliegende Rechnung. Die zeigte er der Königin, und die beschwor ihn daraufhin, endlich ihrer beider Tochter die Wahrheit über diese drei Schmuckstücke zu sagen. Der König zierte und drehte und wandt sich erst, doch als seine Gemahlin damit drohte, andernfalls nicht zum Jubiläum öffentlich in Erscheinung zu treten, der Platz an seiner Seite damit leer bliebe, willigte er, wenngleich widerstrebend, ein und ließ sogleich seine Tochter unter einem Vorwand zur Audienz bestellen.

VI

Kaum dass die Prinzessin nach ihrer Französischlektion erneut in seinem Besprechungszimmer erschienen war, hub er ohne Umschweife an zu sprechen: „Bald fünfzig Jahre bin ich König in diesem Lande auf diesem Schlosse. Wie meine Mutter schon und ihr Vater schon. Du selbst, meine geliebte Tochter, zählst selbst schon fünfzehn Lenze, so lange lebst du schon! Seit du laufen konntest, seit du etwas von einer Hand in die andere legen konntest, hast du dich für die drei goldenen Kugeln, die ich aufbewahre, interessiert. Mir ist nicht entgangen, dass du sie beizeiten und immer wieder genommen hast zu kindlichen Spielen, wie Kinder nun mal sind. Widersprich mir nicht! Du ahnst es sicher, es gibt ein Geheimnis um diese drei Goldbälle. Das ist wahr, dieses Geheimnis sollst du nun erfahren, meine allerbeste und einzige Tochter! Auch deine Frau Mama ist damit einverstanden, ja geradezu interessiert daran, dass du es erfährst.

Es verhält sich damit nämlich so: Als deine Mutter und ich uns das erste Mal trafen - ganz allein, meine ich -, da hatte sie mir eine goldene Kugel an den Kopf geworfen." Er meinte, damit wäre alles geklärt, doch die Prinzessin unterdrückte ein Lachen: „Wieso? Wieso tat sie das? Ah, lass mich raten! Sie wollte dir beweisen, dass sie imstande ist zu jonglieren, und ließ dabei eine goldene Kugel fallen? Aus Versehen, natürlich." -

„Dessen war ich mir nie sicher", erwiderte der König. „das Einzige, das ich weiß, ist: Sie war an dem Brunnen gewesen, der tief versteckt im Wald liegt, und hatte eine ihrer goldenen Kugeln in den Brunnen geschmissen." - Die Prinzessin erschrak: „In den Brunnen? Dir an den Kopf geschmissen? Wie mag das zugegangen sein?" -

„Weil ich im Brunnen gesessen hatte", erklärte ihr der König. „Da bekam ich das runde Ding an den Kopf. Weil... weil ich derzeit ein Frosch war. Ja genau, ein Frosch am Grund des Brunnens. Ich Elender, dass ich das meiner Tochter gestehen muss... Falls du dich wunderst, wieso: Der Weiße Zauberer hatte mich dermaleinst in einen Frosch verzaubert! Aus welchem Grunde und zu welchem Behufe, das ist mir leider entfallen. Ich war einfach ein Frosch in jenen, nun so fernen Tagen." Bekümmert schaute er seine Prinzessin an.

Was denn daraufhin geschehen sei, wollte die Prinzessin wissen, doch ihr königlicher Vater winkte ab: „Um es kurz zu machen: Daraufhin war ich aus dem Brunnenschacht geklettert und habe mich bei ihr für diese rüde Behandlung beschwert. Schlussendlich bot sie mir an, mich zu ihrem Schloss zu bringen, falls ich ihr die Kugel aus dem Schacht emporholte und wiedergäbe. Gesagt, getan! Für deine Mutter aber war es schwer zu begreifen, dass ich kein Frosch von Natur aus war, sondern durch einen Zauberspruch zu solch einer Kreatur geworden war. Nun ja, also, um es kurz zu machen: Ihr eiserner Wille und ihre unbändige Liebe lösten schließlich den Zauberbann, und ich gewann meine Gestalt zurück. Daraufhin fand sogleich unsere Vermählung statt. Nach diesem Feste ließen wir ihre goldene Kugel einschmelzen und drei kleine Kugeln daraus gießen." Damit wollte der König seine Erklärung beenden, doch seine Prinzessin wollte alles ganz genau erfahren und erkundigte sich nach dem Zwecke des Umschmelzens. -

„Das war so: Deine Mutter wollte nämlich drei Prinzen und Prinzessinnen das Leben schenken, sobald sie erst einmal Königin sein würde. Nun ja. Was wir bekamen, das bist du! Du, unsere Allerbeste und Einzige!" Da strahlte der König vor Vaterstolz. „Und das war die ganze Geschichte vom Froschkönig wert!" -

Da gingen der Prinzessin die Augen über, denn sie wurde in diesem Augenblick gewahr, dass sie mit ihrer Narrenkappe etwas Ähnliches erlebt hatte.

VII

Das Jubiläum war in vollem Gange, hunderte Gäste waren nicht nur geladen, sondern auch gekommen, so viele, dass sie kaum alle in den Speisesaal an dicht an dicht aufgestellte Tische passten. Nein, für diejenigen sogar, die die folgende Nacht und den folgenden Tag auf dem Schloss verbringen wollten, waren sogar einige Kammern ausgeräumt und hergerichtet worden, in denen sonst die Spinnerinnen ihren Dienst versahen.

Nachdem nun alle Er-lebe-hochs geschmettert, alle Trinksprüche ausgebracht waren, nachdem die Abfolge der erlesensten Speisen aus allen Winkeln des Königreichs verköstigt und alle Weine aus diesem und fernen Königreichen probiert worden waren, da erhoben sich der König und die Königin von ihren Plätzen, und all das Geplauder an der Tafel und den Tischen verstummte. Das königliche Paar dankte allen, die von nah und fern gekommen waren und sie mit Glücks- und Segenswünschen überhäuft, ja überwältigt hatten. Da kündigte der König an, dass nun eine außergewöhnliche, bisher noch nie dargebotene Kurzweil für alle seine Gäste stattfinden werde, präsentiert von seiner liebsten und einzigen Tochter, der Prinzessin.

Nun erhob sie sich, strahlte voller Vorfreude und klatschte in die Hände. Das sollte das Zeichen sein, denn nun wurden die schweren Flügeltüren geöffnet und herein schritt der lebendige Hofnarr, wie er mit drei goldenen Kugeln jonglierte, ohne abzusetzen und ohne eine fallen zu lassen. Begleitet wurde er dabei von einem Schwarm Krähen und Elstern, die mit ihrem eigenwilligen Gesang ein Konzert dazu zum Besten gaben. Inzwischen war der Jongleur durch die Tischreihen gegangen und wirbelte immer noch die Kugeln in der Luft herum und herum, bis schließlich die Krähen kamen und ihm eine Kugel um die andere wegfingen. Die hielten sie in ihren Krallen und warfen sie sich gegenseitig zu - hin und her, auf und ab, her und hin, bis sie die Bälle schließlich dem Narren zurück warfen, damit er sie finge und seine Jonglierkunst fortsetzte.

Der König war zuerst entsetzt über diese Darbietung, dann staunte er aber doch über die Kunstfertigkeit des Narren und klatschte sogar Beifall, was artig und pflichtschuldig von allen Gästen und dem Hofstaat übernommen wurde.

Unter dem Beifall schließlich ließ der Maiordomus einen Stuhl für den Wurfkünstler bringen, dem er jedoch auswich, um mit den fliegenden Bällen vor den König zu treten. Er ließ sie sich in den Arm fallen und überreichte sie dann mit einer formvollendeten Verbeugung dem König mit den Worten: „Euer Eigentum, Euer Schatz zu Euren Händen! Ihr ergebenster Diener."

Verblüfft und doch dankbar nahm der König diese Ehrerbietung entgegen und hieß den jungen Künstler, an der königlichen Tafel Platz zu nehmen. Weswegen der Maiordomus nochmals einen Stuhl bis an die Tafel tragen musste. Die Krähen und Elstern inzwischen verzogen sich und warteten an den Küchenfenstern auf ihr leibliches Wohl.

Sodann erhob sich die Prinzessin wieder und klatschte erneut in die Hände, woraufhin die Flügeltüren aufschwangen und wilde Gesellen hereinstürmten. Angetan mit Bärenfellen und -mützen, mit Schellen an Armen und Knöcheln, trugen sie Schalmeien und Drommeten, Trommeln und Drehleiern herein.

Jetzt musste der Maiordomus dafür sorgen, dass sie genug Platz bekämen und ließ flugs drei Tische hinaustragen. Die Prinzessin nun stellte die wilden Kerle als die Musici von der Gilde der Krächzenden Raben vor, die zum Tanze aufspielen würden.

Und da erklang ein wildes Trommeln und Geheul und der Größte von allen Musici sang: „Ballate! Bibete!": „Tanzt und trinkt!"

Der erste Tanz gebührte dem königlichen Paare, und da merkte der König, dass er tatsächlich schon fünfzig Jahre auf dem Thron gesessen, denn ihm ging flugs die Puste aus, und nach dem ersten Tanz beschloss er, dass nun Jüngere an der Reihe seien.

Das war das Stichwort! Da schnappte sich nämlich die Prinzessin ihre Frau Mama und den Narren, schritt mit ihnen zwischen Tafel und die Musikanten, klatschte in ihre Hände, um allen zu verkünden: „Jetzt sind die Jüngeren an der Reihe! Hiermit gelobe ich, für unser Königreich zu leben und zu arbeiten, in guten wie in schlechten Zeiten!"

Daraufhin trat die Königin hervor und sprach: „Jetzt sind die Jüngeren dran! Hiermit gebe ich bekannt: Unsere, meines Gemahls und meine einzige Tochter, ist verlobt mit dem Akrobaten der fliegenden goldenen Bälle! Ein Hoch auf das Paar!"

Daraufhin erhoben sich alle Anwesenden, der Hofstaat wie die Gäste, die Lakaien wie die Dienstboten und brachten ein laut schallendes dreifaches Hurra auf das frisch verlobte Paar aus. Prinzessin und der Hofnarr, der hiermit ein Prinz geworden war, strahlten, umarmten und küssten sich. Ihnen gehörte der nächste Tanz. Und beim dritten sprangen alle Gäste herzu.

Nur der König, noch immer schnaufend vom ersten Tanz und überrascht von dieser Neuigkeit, schwieg und beschloss im Stillen alsbaldmöglich abzudanken, damit seine liebste und einzige Tochter ihre besten Seiten an der Seite ihres Prinzen, zum Wohl für den Hof und für das Volk, zeigen konnte.

Und wenn sie nicht gestorben sind, dann jonglieren sie auch heute.

DAS MÄRCHEN VON DEN GLÜHWÜRMCHEN

In der Zeit, da das Träumen noch geholfen hat, da leuchteten die Wälder und Waldränder in jeder Sommernacht. Das war immer dann, wenn die Feen durch die Wälder, über die Heide, von den Mooren, zu den Lichtungen flogen, um dort ihren Mittsommer-reigen zu tanzen. Dazu trafen sich alle Feen, ausnahmslos: die Waldfeen, die Wasserelfen und die Animae. Eine jede von ihnen leuchtete wie ein Glühwürmchen oder funkelte wie ein Eisvogel, bloß in der Nacht. Von überallher schwirrten sie heran, von den Quellen und Teichen, aus den Höhlen im tiefen Tann, vom Rosen-hag ebenso wie aus den Gärten der Dörfer in der Flur. Einzeln oder paarweise zuerst, dann fanden sie sich zu Quartetts oder Sextetts zusammen, je nach Feen- oder Elfenart. Schließlich trafen sie auf andere Gruppen und wirbelten sodann gemeinsam voraus. Oder sie schaukelten und gaukelten, als wären sie Schmetterlinge.

Hei, das war ein feines Leuchten und Funkeln in der Nacht! Da glitzerte und brillierte es vor Feenstaub und Elfenglühen! Der Reigen wogte und rauschte über die Lichtung, alle Gräser, Blüten, Käfer und Motten wurden von dem Nachtlicht angestrahlt und ver-zaubert. Auch die Hasen und die Wildschweine blieben erstaunt stehen, um diesen Tanz der Nachtwesen zu bewundern. Nur der Dachs, der blieb in seinem Bau liegen und dachte sich, was ihn denn dieses Schauspiel nur anginge, davon könne er auch keine Maus erwischen, und bei Tage sei der ganze Zauber sowieso dahin.

Ganz anders die Menschen! Die fürchteten sich vor dem Feen- und Elfenreigen sehr, fürchteten sie doch, von dem geheimnisvollen Lichterspiel verwunschen und in die Irre geleitet zu werden, so dass sie von der Lichtung aus in den Wald hinein liefen und nimmer herausfänden. So hätten es immer wieder einige tollkühne und vorwitzige junge Burschen gewagt, dem nächtlichen Tanze beizuwohnen - und waren danach nimmermehr gesehen. Wer weiß, wohin und wozu sie der nächtliche Wahn geführt hat!

***

So auch in dieser einen Julinacht, da Karlheinz, der eben noch von seiner Anima in seinem Bette heimgesucht und in die Ekstase eines Wunschtraumes getrieben worden war, aufgeschreckt worden war und sie noch zum Fenster hinaus sausen gesehen hatte, wobei sie eine Leuchtspur von Feenstaub hinter sich her zog. Die lass' ich mir nicht entgehen, beschloss da Karlheinz, war aus dem Bette gesprungen, hatte sich seine Stiefel übergezogen und war schon der Anima nachgelaufen, in seinem Nachthemde, seine Arme vorausgestreckt, ob er sie nicht zu erhaschen vermöchte, mit den bestiefelten Füßen hinterdrein stolpernd, so verfolgte er den leuchtenden Feenstaub, den die Fee hinterließ. Denn als sie das Signal zum Aufbruch zum Nachttanz vernommen hatte - ein singendes Pfeifen, das nur das Nachtvolk hören konnte -, da war sie Hals über Kopf aus Karlheinzens Traum aufgesprungen und hatte sich auf ihren Weg gemacht. Freilich ohne ihr Feenleuchten auszuschalten. Das sie zwar als ihr eigenes Signal brauchte, um allen Anverwandten und Genossen anzuzeigen, dass sie unterwegs sei. Doch ebendies lockte auch den nunmehr hellwachen Karlheinz an, der ihr beharrlich folgte, dem Hofhund ausweichen musste, über den Gartenzaun sprang, die Hauptstraße und Gassen hinunter klapperte, bloß um nicht den funkelnden Wegweiser zum Feentanz aus den Augen zu verlieren.

So stolperte er in die Heide hinaus, Düsternis ringsum, nur die Sichel des zunehmenden Mondes über den Hecken, die ihrerseits ein schemenhaftes Licht auf Wege und Fluren warf. Bald blieb Karlheinz schnaufend stehen, als er nicht mehr weiter konnte, so flink war er gehastet, da sah er im Geheck ganz weit vorne nur noch ein schwaches Glimmen und nahm wieder die Verfolgung der Anima auf und keuchte im Stolperschritt durch das hohe Gras, den Büschen zu, dem sich immer weiter fort entfliehenden Feenfunkelstaub hinterdrein. Wäre er nicht diesem Wegweiser gefolgt, er hätte sich ganz bestimmt verlaufen, denn unter dem Mantel der Nacht sahen die vertrautesten Pfade wie fremde Steige aus.

Seinen Traum hatte Karlheinz schon fast vergessen, da war er bereits im Eichenwald, er musste über Wurzeln hüpfen und quer stehenden Ästen ausweichen, riss sich das Nachthemd an Brombeerranken auf, fiel auch auf die Nase. Da hätte er schon gar nicht mehr sagen können, hinter welcher Anima er eigentlich her war, doch war es jetzt zu spät, um Halt zu machen und umzukehren. Da blieb ihm nur, weiter der Traumfee hinterher zu rennen. Schließlich hatte er es bis zu der Lichtung geschafft.

Das Leuchten, Funkeln und Glitzern der Feen erkannte er schon von weitem. Und da hielt er ein letztes Mal an, einmal um nach Luft zu schnappen von der nächtlichen Jagd und auch, um zu überdenken, ob er tatsächlich zur Anima vordringen sollte, ob er dem Feentanze beiwohnen sollte, obwohl doch keiner der menschlichen Zuschauer je in sein Heim zurückgekehrt war. Lang besann er sich nicht. Versuch macht klug, feuerte er sich selber an weiterzumachen. Jetzt schlich er sich an die Gebüsche am Rande der Lichtung, von wo aus er die tanzenden Feen und Elfen heimlich betrachten wollte, um seine Anima, seine Traumfee, wiederzusehen.

***

Gar nicht lang, da gesellte sich ihm ein Keiler hinzu, ganz friedfertig. Es hockte sich neben Karlheinz ins Unterholz, um, wie auch der Mensch, das Treiben der Geisterwesen zu verfolgen, dabei bemüht keinerlei Geräusche zu machen, die sie hätten verraten können. Nur aus den Baumkronen hallte dumpf ein Käuzchenruf.

So ging es eine Weile: Die Elfen und Feen tanzten ihren Ringelreihen, mit einigen Tieren als Beobachter, die ja sowieso hier am Wald zu Hause waren. Und mit dem Menschen Karlheinz in seinem Versteck.

Endlich hielten die Tänzerinnen an, da auch sie einmal erschöpft waren. Sie ließen sich in Grüppchen nieder, mal bunt gemischt, wie sie gerade eben beisammen waren, mal nach Feen- und Elfenarten gesondert. Auch ihr Leuchten und Funkeln war jetzt ermattet, manche Fee glomm nur noch rötlichdüster für sich hin. Doch das Nachtvolk konnte auch in diesem Dämmer noch gut sehen, und so fiel ebendieser Anima, die zuvor Karlheinz besucht hatte, auf, dass sich am Waldsaum etwas regte und raschelte, dass sie also einen ungebetenen Gast hatten. Augenblicklich stieß sie einen scharfen Pfiff aus zur Warnung an ihre Genossinnen, die sofort aufschreckten, eine Runde um die Lichtung flogen und sich dann - wie ein Hornissenschwarm zornig brummend - auf den Menschen stürzten.

Der war zunächst ahnungslos unter den Büschen liegen geblieben. Doch als er gewahr wurde, dass sie es auf ihn abgesehen hatten, sprang er auf, zerriss dabei sein Nachthemd an den Brombeerranken und floh, nur mit den Stiefeln an seinen Füßen und Fetzen am Leib, von der Lichtung. So stolperte und humpelte er aus dem Wald hinaus und über die Heide, als ob er einen Schwarm glühender Hornissen hinter sich her zöge. Erst als er, nach Luft schnappend, seine Hofstelle am Dorfrand erreicht hatte, ließen sie von ihm ab. Sein Hofhund schlug grollend an, doch bald bemerkte er seinen Herrn. Vor den Verfolgern seines Herrn allerdings zog er den Schwanz ein.

Da die Elfen und Feen ihn auf ihrer wilden Jagd nun doch in Ruhe ließ, sank Karlheinz todmüde ins Bett und kam erst lange nach Tagesanbruch wieder heraus. Das Wildschwein indes hatte sich nur platt auf den Waldboden gedrückt, als die fliegenden Geister auf es und den Menschen zugestürmt waren. Später trollte es sich einfach zu seiner Rotte.

***

Von diesem nächtlichen Erlebnis erzählte Karlheinz anderen Abends im Dorfkrug seinem Freund Carltheodor und beschwor ihn, ihn einmal zu begleiten zu der Lichtung. Denn er wollte den Feentanz nochmals betrachten, nur eben aus Furcht nicht wieder alleine. Carltheodor, vom Gemüt her eine ebenso große Bangebüx wie sein Freund, lockte aber die Aussicht, schöne Frauen aus der Nähe betrachten zu können, ohne dafür ausgeschimpft zu werden. Ja, wenn man nur vermeiden könnte, dass sie dann über beide herfielen anstatt nur auf einen, wie Karlheinz berichtet hatte.

Gesagt, getan: Vom Gastkrug liefen sie zielstrebig über die Heide dem Waldrand zu, und Karlheinz musste gar nicht lange suchen, da hatten sie beide schon die Lichtung erreicht. Über die Tannenwipfel lugte der zunehmende Mond, die ersten Sterne leuchteten am klaren Himmelszelt. Mit rauhem Gebell sprang ein Rehbock durch das feuchte Gras der Lichtung, da war er schon im Walde verschwunden.

Karlheinz hieß seinen Freund sich zu ducken und abzuwarten, bis die Feen kämen. Da steig der Mond weiter empor, weitere Sterne blitzten auf, bald stiegen grüne und blaue Funken auf und nieder, sie drehten sich im Kreise. Karlheinz fasste den Carltheodor an der Schulter. „Da, sieh! Da schwirren sie heran! Elfen, Feen und Animae. Hier wollen sie ihren Ringelpietz aufführen. Still!" So legte sich Karlheinz reglos unter die Sträucher und schaute, welche Feen er wohl erblicken würde, und ob er auch einen Blick auf die Anima der verherigen Nacht erscheischen könne. Auch Carltheodor verhielt sich still und lag regungslos. Angestrengt starrte er auf die umher schwirrenden Glühwürmchen und frug sich dabei insgeheim, ob wohl auch die besagten Geisterwesen zum Reigen erscheinen würden. Bald wichen über seinen Überlegungen die Glühwürmchen, sie schalteten ihre Laternen aus. Nebel stieg aus den hohen Gräsern der Lichtung und wogte wie Watte hin und her.

Bald waren die Sterne und der Mond hinter seinem bleichen Mantel verschwunden.

Carltheodor lag, zitternd vor Kälte, Feuchtigkeit und gespenstischem Nebellicht, am Boden, während Karlheinz verzückt von Feen und Musenküssen träumte. Als Carltheodor den Freund zum Aufbruch heimwärts drängte, da zankten sie einander aus: Denn dieser wusste von Geisterwesen zu erzählen, während jener nur eines Nebels angesichtig worden war. Ohne weiteren Gruß ging ein jeder heim, auf den anderen still und stumm grollend.

In jener Nacht wurden sie beide von der Anima heimgesucht. Die bedeutete jedem, er solle sich in der folgenden Nacht auf der Lichtung einfinden, sie erwarte ihn. Und so kam es, dass am nächsten Abend sowohl Karlheinz als auch Carltheodor sich aus seinem eigenen Hause stahl und den Weg über die Heide zum Waldrand einschlug, und durch den Wald zur bekannten Lichtung. Als beide Männer dort einander gewahr wurden, wollten sie mit Fäusten aufeinander losgehen, als wie ein Blitzstrahl Feenstaub aus heiterem Nachthimmel herabfuhr und sich die Anima zwischen beide Streithähne drängte.

„Haltet ein!", gebot sie. „Ich habe euch beide hierher kommen lassen. Ich will euch sagen, warum!" Mit einer Handbewegung hieß sie die Männer sich ins Gras setzen. Sie selbst begann, um die beiden herum zu schreiten. „So höret denn", hub sie an, „den Beschluss des Feen- und Elfenrates: Da ihr Menschen unsere Zusammenkünfte gestört habt, dürft ihr nie mehr Zeugen dessen sein, was wir hier tun und treiben. Zu diesem Zwecke haben wir uns ein anderes Gelände ausgesucht. Eines, das ihr nicht finden werdet. Eines, das euch verschlossen bleibt. Dies ist das letzte Mal, dass wir euch warnen. Kommt nie wieder hierher!"

Da wollte Karlheinz aufspringen und die Anima angreifen, Carltheodor machte Anstalten wegzulaufen. Doch die Anima herrschte sie an: „Still! Und schweigt!" Sie setzte ihre Runde um die Männer fort. „Weshalb seid ihr hergekommen? Um euch Rat zu holen für eure Pläne mit Haus und Hof? Wolltet ihr uns um Heilkräuter oder Salben angehen für das kranke Kind oder für das hoffnungsvolle Weib? - Nein, glotzen wolltet ihr! Ob sich unter uns Feen keine Schönheit für eine Nacht finden ließe? Ob ihr der Anima eurer Träume auch im Wachsein begegnen könntet? Streitet es nicht ab, denn ich habe eure Träume gesehen. Ich selbst war einer eurer Träume. Und jetzt geht!" Daraufhin hüllte sie sich in einen Dunst- und Nebelmantel und löste sich auf in den Schatten der Nacht.

Durch diese Zurechtweisung verblüfft, starrten Karlheinz und Carltheodor zunächst einander an. Der Nebel war nun dichter und dichter geworden. Um nicht gar zu sehr zu frieren, hüpfte Carltheodor von einem Bein aufs andere. „Du und deine Feen!", scholt er den Freund. „Ich habe zwei Nächte lang im Nebel gestanden und geh' jetzt heim. Es ist ja wahr: Mein teures Weib braucht mich jetzt, bis das Kind auf der Welt ist. Ein Stammhalter, wie ich hoffe." - „Da sagst du's selbst!", erwiderte Karlheinz. „Was die Fee sagte über Haus, Hof und Gemahlin, das ist echt. Auch du hast's gehört! Wenn sie nun nicht mehr an dieser Stätte ihr Stelldichein geben, die guten Feen und all' die anderen, wo denn dann wohl? Das müssten wir doch herausfinden können. Komm, lass' uns jetzt nach Hause gehen. Morgen wollen wir nach dem neuen Feenplatze suchen."

Auf die Einwände des Freundes, er müsse sich um seine hochschwangere Frau kümmern und für das sehnlichst erwartete Kind sorgen, warf Karlheinz ein: „Hast du sie nicht gehört, die Anima? Wir bekommen von den Feen auch Medizin für die Kranken daheim!"

***

Wo sollten sie nach dem neuen Feen-Tanzplatz suchen, von dem die Anima gesprochen hatte? Den zu finden kein Mensch imstande sei? Genau diese Behauptung war es, die Karlheinz dazu antrieb, doch danach zu suchen. Denn was er könnte oder nicht könnte, das wollte er doch gern alleine herausfinden. Ja, er musste alleine danach suchen, da sein Freund bei seinem hochschwangeren Weibe blieb und sowieso nicht gut von Feenzauber überzeugt war.

So brach er in einer der folgenden Nächte auf und schaute im Steinbruch auf der anderen Dorfseite nach Feentanz, doch außer einigen Halbwüchsigen, die dort ihre Kräfte bei Stockkämpfen und mit einem Bierfass maßen, traf er niemanden an. Die jungen Leute hatten zwar Glühwürmchen bemerkt, doch Feen, nein, solche Geister waren ihnen nicht aufgefallen. - In einer anderen Nacht schlich sich Karlheinz auf den Friedhof, um dort nach Elfentanz

Ausschau zu halten. Doch bis auf ein spätes Liebespaar und den Gärtner traf er auch dort nichts und niemanden an.

Daraufhin fiel ihm kein weiterer Ort ein, an dem er suchen könnte. Bis auf... Was hatte die Anima gesagt? „Kommt nie wieder hierher!" Hierher..., das war doch die Lichtung? Ja, sie hatten überhaupt nicht vor, ihren Tanzplatz zu wechseln, sie wollten bloß die Menschen fortlocken! Ei, wenn er das dem Carltheodor erzählte, der käme bestimmt noch einmal mit! Doch der hatte entschieden, daheim bei seiner Ehefrau zu bleiben, da sie kurz nach ihrer Niederkunft erkrankt war, das Bett nicht verlassen konnte, und daher der Vater unter Anleitung der Amme sich um beide, das Kind sowie die Mutter, sorgen musste. Er trug seinem Freunde aber auf, er möchte doch die Feen, so er sie denn treffe, um Heilkräuter für die Mutter bitten.

So zog Karlheinz alleine los, mit der Bitte seines Freundes im Gepäck. Diesmal versteckte er sich nicht, sondern stellte sich mitten auf die Lichtung. Er wollte abwarten, bis die Feen mit den Elfen herankamen, und dann wollte er ihnen die Bitte um die Heilung der Mutter im Kindbett vorbringen. Nach einer Stunde bangen Wartens - aus der Ferne konnte er die Kirchturmuhr und die Uhr am Rathause schlagen hören - tauchte die Anima auf, indem sie sich aus dem Nebelmantel schälte. Sie hörte sich an, was der Mensch vorzutragen hatte. Darauf beschied sie ihm, sie müsse sich mit einer Anderen beraten, woraufhin etwas heranschwebte, das wie ein blau-grün-rot-gelb funkelndes Glühwürmchen aussah. Es war indes die Wasserelfe, die sich auf die Heilkunst verstand und schon öfter mit Menschen zu tun hatte.

Sie nahm den Karlheinz an die eine Hand, die Anima an die andere Hand und strebte mit ihnen beiden über die nächtliche Wiese dem Bache zu, der drüben am Saum zwischen Lichtung und Wald gurgelte. Daselbst bückte sie sich, um Kräuter zu schneiden, um

Blüten bestimmter Pflanzen zu pflücken. Bald hatte sie einen Strauß beisammen, den sie Karlheinzen reichte. „Daraus magst du einen Absud für die Mutter aufsetzen", erklärte die Wasserelfe, „und hiervon einen Tee für das Kleine." Staunend nahm Karlheinz diese Gaben an, er bedankte sich mit vielen Verbeugungen und mit wenigen Worten, da er ob dieser Wendung im Umgang mit dem Nachtvolk kaum Worte fand.

„Komm wieder, wenn du wieder etwas gegen Gebrechen oder Seelenschmerz brauchst", lud die Wasserelfe ihn ein. „Und nun lebe wohl!" - „Und denke daran, dass du nicht wieder zum Scherzen oder Glotzen herkommen darfst", schärfte ihm die Anima ein, diesmal aber doch in freundlichem Ton, „weder du noch ein anderer Mensch. Lebe wohl. Denn ich werde es sein, der dich aufsuchen wird. Als dein Traum." Damit legte sie sich den Nebelmantel um und entschwand. Die Wasserelfe lächelte dem Menschen ein letztes Mal zu, bevor sie, einem knallbunten Glühwürmchen gleich, durch die Sträucher, den Bach entlang, davongaukelte.

Immer noch staunend blieb Karlheinz stehen, bis er sich mit dem Feen-Geschenk für den Freund heimwärts begab. Oder besser, gleich bei Carltheodor anklopfte, damit er sogleich mit den Käutern seinem Weibe und dem Kinde Besserung bringen könne.

Doch, ach! Die Frau war vor einer guten Stunde verstorben. Die Amme, die die letzten Tage bei ihr gesessen und sie gepflegt hatte, erkannte die mitgebrachten Kräuter und setzte daraus einen Tee für das Neugeborene auf, damit wenigstens der kleine Knabe zu Kräften käme.

***

An sein Versprechen, nie wieder die Lichtung aufzusuchen, um aus Neugier den Elfentanz anzuschauen, hat Karlheinz sich sein Lebtag gehalten. Nur einmal, als er selbst mit Fieber darnieder lag, schleppte er sich in Begleitung eines Knechtes herbei, um die

Nachtwesen um Medizin zu bitten. Die Bitte wurde ihm gerne gewährt, die Wasserelfe wiederum suchte ihm einen Strauß aus den in Frage kommenden Kräutern und Blüten aus.

Carltheodor dagegen war nach dem Tode seiner Gemahlin ein Jahr lang gram, dann ehelichte er aufs Neue, während sein Spross als ein stiller nachdenklicher Junge heranwuchs. Als er alt genug war, um zu erfahren, unter welchen Umständen er auf die Welt gekommen war, da lief er bald täglich zu der besagten Lichtung. Am helllichten Tage. Er sah den Blumen und Kräutern beim Wachsen zu. Manchmal bat er die alte Amme mitzukommen. Dort, am Bache, erklärte sie ihm die Wirkungen der verschiedenen Blüten und Wurzeln. So wurde er selbst ein wenig in die Heilkunde eingeführt und sollte es später im Leben zu einem gefragten Apotheker bringen.

Und wenn sie nicht gestorben sind, dann heilen sie noch heute, Mensch wie Fee und Elfe.

INHALT

MITWIRKENDE/RECHTE-INHABER

Fotograf/Zeichner
Titelfoto, S. 7, 17, 28, 30, 73, 74, 82: .... Michael Sprotte

Fotograf S. 12: .... Jürgen Röhlich

Fotograf S. 54 .... Neoroxis

Model: .... Etiaeinen